Amélie Nothomb
présente
20 récits de soi

Se raconter, se représenter

Présentation, notes, questions et après-texte établis par

JOSIANE GRINFAS
professeur de Lettres

MAGNARD

Sommaire

Textes

Écrire pour reconstruire son enfance

Écrire pour grandir, s'émanciper

Écrire pour se connaître

Écrire pour témoigner

Au carrefour des langues et des cultures

Après-texte

Pour comprendre

           QUESTIONS   Lire – Écrire – Chercher – Oral
           À SAVOIR   Écrire l'enfance

           QUESTIONS   Lire – Écrire – Chercher – Oral
           À SAVOIR   L'explicite et l'implicite

           QUESTIONS   Lire – Écrire – Chercher
           À SAVOIR   Les différentes formes de l'écriture de soi

L'écriture de soi

L'écriture de soi est à l'écriture ce que la sculpture est à la composition musicale. Posé comme cela, il semblerait qu'il s'agisse de créations radicalement différentes. Ce n'est pourtant pas le cas. Les arts ont des manières étranges de se ressembler. Nietzsche dit que l'architecture, c'est de la musique pétrifiée ; je dirais, le paraphrasant, que l'écriture de soi, c'est de la sculpture musicale.

Depuis Rimbaud, on sait que je est un autre. Même si rien n'est plus vrai, il faut préciser que ce n'est pas n'importe quel autre. Pour avoir beaucoup pratiqué tant l'écriture que l'écriture de moi, j'ai pu observer une différence de l'ordre de la vibration : écrire sur soi encombre de toutes les émotions, bonnes et mauvaises, que l'on s'inspire à soi-même. Une création aussi complexe impose plus de sécheresse que l'écriture en général. Il ne s'agit pas de se raconter mais de se sculpter : on découpe, moins par pudeur que pour éviter le piège de l'insignifiance. Dans l'écriture, tout dire est une erreur parfois féconde ; dans l'écriture de soi, tout dire revient à ne rien dire. Seule la sculpture, qui taille dans le vif du soi, parvient à révéler.

Bien sûr, il ne s'agit pas de tout enlever, d'amputer toute la chair : il faut, parmi les émotions liées à soi, sélectionner celles qui feront sens. C'est une partition paradoxale, où la musique s'élève quand on élague les notes.

Amélie Nothomb

Amélie Nothomb
présente

20 récits de soi

Se raconter, se représenter

Écrire pour reconstruire son enfance

AMÉLIE NOTHOMB (née en 1966)
Métaphysique des tubes, 2000.

*Nous sommes au Japon. Une petite fille – « Dieu » ou « le tube » –
passe de l'inertie et du mutisme aux hurlements. Ses parents se
désespèrent, mais sa grand-mère arrive de Belgique pour leur
rendre visite, et semble trouver la solution pour l'apaiser.*

Deux ans et demi. Cris, rage, haine. Le monde est inaccessible aux mains et à la voix de Dieu. Autour de lui, les barreaux du lit-cage. Dieu est enfermé. Il voudrait nuire et n'y parvient pas. Il se venge sur le drap et la couverture qu'il martèle de coups de pied.

Au-dessus de lui, le plafond et ses fissures qu'il connaît par cœur. Ce sont ses seuls interlocuteurs, c'est donc à eux qu'il hurle son mépris. Visiblement, le plafond s'en fout. Dieu en est contrarié.

Soudain, le champ de vision se remplit d'un visage inconnu et inidentifiable. Qu'est-ce que c'est ? C'est un humain adulte, du même sexe que la mère, semble-t-il. La première surprise passée, Dieu manifeste son mécontentement par un long râle[1].

---

1. Cri.

Le visage sourit. Dieu connaît ça : on essaie de l'amadouer[1].
15 Ça ne prend pas. Il montre les dents. Le visage laisse tomber
des mots avec sa bouche. Dieu boxe les paroles au vol. Ses
poings fermés rossent[2] les sons et les mettent K.-O.

Dieu sait qu'après, le visage essaiera de tendre la main vers lui.
Il a l'habitude : les adultes approchent toujours leurs doigts de sa
20 figure. Il décide qu'il mordra l'index de l'inconnue. Il se prépare.

En effet, une main apparaît dans son champ de vision mais
– stupeur ! – il y a entre ses doigts un bâton blanchâtre. Dieu
n'a jamais vu ça et en oublie de crier.

– C'est du chocolat blanc de Belgique, dit la grand-mère à
25 l'enfant qu'elle découvre.

De ces mots, Dieu ne comprend que « blanc » : il connaît, il
a vu ça sur le lait et les murs. Les autres vocables[3] sont obscurs :
« chocolat » et surtout « Belgique ». Entre-temps, le bâton est
près de sa bouche.

30 – C'est pour manger, dit la voix.

Manger : Dieu connaît. C'est une chose qu'il fait souvent.
Manger, c'est le biberon, la purée avec des morceaux de viande,
la banane écrasée avec la pomme râpée et le jus d'orange.

Manger, ça sent. Ce bâton blanchâtre a une odeur que Dieu
35 ne connaît pas. Ça sent meilleur que le savon et la pommade.
Dieu a peur et envie en même temps. Il grimace de dégoût et
salive de désir.

---

1. Rendre doux, sage.
2. Donnent des coups.
3. Mots.

En un soubresaut[1] de courage, il attrape la nouveauté avec ses dents, la mâche mais ce n'est pas nécessaire, ça fond sur la langue, ça tapisse le palais, il en a plein la bouche – et le miracle a lieu.

La volupté[2] lui monte à la tête, lui déchire le cerveau et y fait retentir une voix qu'il n'avait jamais entendue :

– C'est moi ! C'est moi qui vis ! C'est moi qui parle ! Je ne suis pas « il » ni « lui », je suis moi ! Tu ne devras plus dire « il » pour parler de toi, tu devras dire « je ». Et je suis ton meilleur ami : c'est moi qui te donne le plaisir.

Ce fut alors que je naquis, à l'âge de deux ans et demi, en février 1970, dans les montagnes du Kansai[3], au village de Shukugawa, sous les yeux de ma grand-mère paternelle, par la grâce du chocolat blanc.

La voix, qui depuis ne s'est jamais tue, continua à parler dans ma tête :

– C'est bon, c'est sucré, c'est onctueux, j'en veux encore !

Je remordis dans le bâton en rugissant.

– Le plaisir est une merveille, qui m'apprend que je suis moi. Moi, c'est le siège du plaisir. Le plaisir, c'est moi : chaque fois qu'il y aura du plaisir, il y aura moi. Pas de plaisir sans moi, pas de moi sans plaisir !

Le bâton disparaissait en moi, bouchée par bouchée. La voix hurlait de plus en plus fort dans ma tête :

---

1. Sursaut.

2. Plaisir sensuel.

3. Région située au cœur de l'île de Honshu, principale île du Japon.

– Vive moi ! Je suis formidable comme la volupté que je ressens et que j'ai inventée ! Sans moi, ce chocolat est un bloc de rien. Mais on le met dans ma bouche et il devient le plaisir.
65 Il a besoin de moi.

Cette pensée se traduisait par des éructations[1] sonores de plus en plus enthousiastes. J'ouvrais des yeux énormes, je secouais les jambes de joie. Je sentais que les choses s'imprimaient dans une partie molle de mon cerveau qui gardait trace de tout.

70 Morceau par morceau, le chocolat était entré en moi. Je m'aperçus alors qu'au bout de la friandise défunte il y avait une main et qu'au bout de cette main il y avait un corps surmonté d'un visage bienveillant. En moi, la voix dit :

– Je ne sais pas qui tu es mais vu ce que tu m'as apporté à
75 manger, tu es quelqu'un de bien.

Les deux mains soulevèrent mon corps du lit-cage et je fus dans des bras inconnus.

Mes parents stupéfaits virent arriver la grand-mère souriante qui portait une enfant sage et contente.

80 – Je vous présente ma grande amie, dit-elle, triomphante.

Je me laissai transbahuter[2] de bras en bras avec bonté. Mon père et ma mère n'en revenaient pas de la métamorphose : ils étaient heureux et vexés. Ils questionnèrent la grand-mère.

Celle-ci se garda bien de révéler la nature de l'arme secrète
85 à laquelle elle avait recouru. Elle préféra laisser planer un

---

1. Cris.
2. Transporter.

mystère. On lui supposa des dons de démonologie[1]. Personne n'avait prévu que la bête se rappellerait son exorcisme[2].

Les abeilles savent, elles, que seul le miel donne aux larves le goût de la vie. Elles ne mettraient pas au monde d'aussi ardentes butineuses en les nourrissant de purée avec des petits carrés de viande. Ma mère avait des théories sur le sucre, qu'elle rendait responsable de tous les maux[3] de l'humanité. C'est pourtant au « poison blanc » (ainsi le nommait-elle) qu'elle doit d'avoir un troisième enfant qui soit d'une humeur acceptable.

Je me comprends. À l'âge de deux ans, j'étais sortie de ma torpeur[4], pour découvrir que la vie était une vallée de larmes où l'on mangeait des carottes bouillies avec du jambon. J'avais dû avoir le sentiment de m'être fait avoir. À quoi bon se tuer à naître si ce n'est pour connaître le plaisir ? Les adultes ont accès à mille sortes de voluptés, mais pour les enfançons[5], il n'y a que la gourmandise qui puisse ouvrir les portes de la délectation[6].

La grand-mère m'avait rempli la bouche de sucre : soudain, l'animal furieux avait appris qu'il y avait une justification à tant d'ennui, que le corps et l'esprit servaient à exulter[7] et qu'il ne fallait donc pas en vouloir ni à l'univers entier ni à soi-même

---

1. Étude des démons.
2. Pratique religieuse ou magique qui sert à chasser les démons.
3. Tout ce qui est mauvais.
4. Engourdissement.
5. Petits enfants.
6. Fait de savourer.
7. Ressentir une joie intense.

d'être là. Le plaisir profita de l'occasion pour nommer son instrument : il l'appela moi – et c'est un nom que j'ai conservé.

Il existe depuis très longtemps une immense secte d'imbéciles qui opposent sensualité et intelligence. C'est un cercle vicieux : ils se privent de volupté pour exalter leurs capacités intellectuelles, ce qui a pour résultat de les appauvrir. Ils deviennent de plus en plus stupides, ce qui les conforte dans leur conviction d'être brillants – car on n'a rien inventé de mieux que la bêtise pour se croire intelligent.

La délectation rend humble et admiratif envers ce qui l'a rendue possible, le plaisir éveille l'esprit et le pousse tant à la virtuosité qu'à la profondeur. C'est une si puissante magie qu'à défaut de volupté, l'idée de volupté suffit. Du moment qu'existe cette notion, l'être est sauvé. Mais la frigidité[1] triomphante se condamne à la célébration de son propre néant.

On rencontre dans les salons des gens qui se vantent haut et fort de s'être privés de tel ou tel délice pendant vingt-cinq ans. On rencontre aussi de superbes idiots qui se glorifient de ne jamais écouter de musique, de ne jamais ouvrir un livre ou de ne jamais aller au cinéma. Il y a aussi ceux qui espèrent susciter l'admiration par leur chasteté[2] absolue. Il faut bien qu'ils en tirent vanité[3] : c'est le seul contentement qu'ils auront dans leur vie.

© Éditions Albin Michel.

---

1. Fait de rester froid au plaisir.
2. Vertu, pureté.
3. Sentiment de grandeur.

GEORGES PEREC (1936-1982)
W ou le Souvenir d'enfance, 1975.

Ce livre mêle deux récits. Le premier évoque une cité réglée par un idéal olympique totalitaire, située sur l'île W. Le second relate la vie d'un enfant pendant la Seconde Guerre mondiale.

Je n'ai pas de souvenirs d'enfance. Jusqu'à ma douzième année à peu près, mon histoire tient en quelques lignes : j'ai perdu mon père à quatre ans, ma mère à six ; j'ai passé la guerre dans diverses pensions de Villard-de-Lans[1]. En 1945, la sœur de mon père et son mari m'adoptèrent.

Cette absence d'histoire m'a longtemps rassuré : sa sécheresse objective, son évidence apparente, son innocence, me protégeaient, mais de quoi me protégeaient-elles, sinon précisément de mon histoire, de mon histoire vécue, de mon histoire réelle, de mon histoire à moi qui, on peut le supposer, n'était ni sèche, ni objective, ni apparemment évidente, ni évidemment innocente ?

« Je n'ai pas de souvenirs d'enfance » : je posais cette affirmation avec assurance, avec presque une sorte de défi. L'on n'avait pas à m'interroger sur cette question. Elle n'était pas inscrite à mon programme. J'en étais dispensé : une autre histoire, la Grande, l'Histoire avec sa grande hache, avait déjà répondu à ma place : la guerre, les camps.

---

1. Commune du sud de la France, dans le département de l'Isère.

À treize ans, j'inventai, racontai et dessinai une histoire. Plus
20 tard, je l'oubliai. Il y a sept ans, un soir, à Venise, je me souvins
tout à coup que cette histoire s'appelait « W » et qu'elle était,
d'une certaine façon, sinon l'histoire, du moins une histoire de
mon enfance.

En dehors du titre brusquement restitué, je n'avais prati-
25 quement aucun souvenir de W. Tout ce que j'en savais tient
en moins de deux lignes : la vie d'une société exclusivement
préoccupée de sport, sur un îlot de la Terre de Feu.

Une fois de plus, les pièges de l'écriture se mirent en place.
Une fois de plus, je fus comme un enfant qui joue à cache-
30 cache et qui ne sait pas ce qu'il craint ou désire le plus : rester
caché, être découvert.

Je retrouvai plus tard quelques-uns des dessins que j'avais
faits vers treize ans. Grâce à eux, je réinventai W et l'écrivis,
publiant au fur et à mesure, en feuilleton, dans *La Quinzaine
35 littéraire*[1], entre septembre 1969 et août 1970.

Aujourd'hui, quatre ans plus tard, j'entreprends de mettre
un terme – je veux tout autant dire par là « tracer les limites »
que « donner un nom » – à ce lent déchiffrement. W ne res-
semble pas plus à mon fantasme[2] olympique que ce fantasme
40 olympique ne ressemblait à mon enfance. Mais dans le réseau

---

1. Journal bimensuel, publié depuis 1966.
2. Objet imaginaire.

qu'ils tissent comme dans la lecture que j'en fais, je sais que se trouve inscrit et décrit le chemin que j'ai parcouru, le cheminement de mon histoire et l'histoire de mon cheminement.

AMOS OZ (né en 1939)
Une histoire d'amour et de ténèbres, 2002.

Amos Oz est né à Jérusalem. La vie de sa famille, d'origine russe et polonaise, a été traversée par les ténèbres de l'Histoire ; la sienne, par la mort de sa mère, qui s'est suicidée alors qu'il avait douze ans.

Quel fut l'événement fondateur de ma mémoire ? Mon tout premier souvenir est une chaussure : un petit soulier neuf et marron qui sentait bon, avec des lacets assortis et une languette tiède et douce. Il y avait probablement la paire,
5 mais ma mémoire n'en a préservé qu'un seul. Une chaussure neuve, encore un peu rigide[1]. J'en aimais tellement l'odeur, la fragrance[2] délectable du cuir brillant, presque vivant, et de la colle âcre[3] et enivrante, qu'il paraît que j'avais d'abord essayé de l'enfiler sur ma figure, sur mon nez, tel un museau, pour me
10 griser[4] de son parfum.

Ma mère entra dans la chambre, suivie de mon père et d'une foule d'oncles ou de simples connaissances. Ils devaient me trouver mignon quoique un peu étrange, avec mon petit visage fourré dans la chaussure, car tout le monde éclata de rire en me
15 montrant du doigt, quelqu'un se mit à beugler en se donnant

---

1. Raide.
2. Parfum.
3. À l'odeur irritante.
4. M'étourdir.

de grandes claques sur les cuisses, et quelqu'un d'autre cria d'une voix rauque : l'appareil photographique, vite, vite !

D'appareil photographique, il n'y en avait pas assez chez nous, mais ce bambin, je le revois encore : à peine deux ans, deux ans et trois mois, avec ses cheveux de lin[1] et ses grands yeux bleus, élargis d'étonnement. Et juste au-dessous, à la place du nez, de la bouche et du menton, surgissait le talon du soulier, une semelle neuve, claire, encore vierge, brillante car elle n'avait pas encore foulé le sol. Au-dessus des yeux, c'était un petit garçon pâle, et au-dessous des joues, on voyait un requin-marteau ou une espèce de volatile primitif muni d'un gros jabot[2].

Que ressentait notre gamin ? Je peux l'affirmer avec certitude parce que j'ai hérité de l'impression qui était la sienne à ce moment-là : une joie lancinante[3], effrénée[4], étourdissante, du fait qu'il monopolisait l'attention générale, qu'il épatait la galerie et qu'on le montrait du doigt avec stupéfaction. En même temps, et sans contradiction aucune, le marmot était terrifié, éberlué[5] de susciter un intérêt si vif, insupportable, et il était plutôt vexé aussi de cette hilarité, il était sur le point de se mettre à pleurer, parce que ses parents et des inconnus se tordaient de rire en le désignant du doigt, lui et son museau,

---

1. Cheveux d'un blond très clair.
2. Poche située sous la gorge d'un animal.
3. Obsédante.
4. Folle.
5. Très étonné.

et qu'ils se moquaient de lui en criant : un appareil photographique, vite, qu'on aille chercher un appareil photographique.

40   Et il était un peu frustré, car on l'avait interrompu au moment où il se livrait à l'étourdissante extase[1] des sens et des odeurs provoquée par le parfum de cuir et de colle, à faire frémir les reins et les cœurs.

Dans le tableau suivant, il n'y a personne. Excepté ma mère 45 qui me passe une chaussette douce et chaude (il fait froid dans la pièce), et puis m'encourage, pousse, pousse fort, plus fort, comme si elle accouchait du fœtus de mon petit pied le long de l'utérus virginal de la nouvelle chaussure qui sentait si bon.

Aujourd'hui encore, quand j'enfile une botte ou une chaus-50 sure, même à l'heure où je rédige ces lignes, je ressens encore sur ma peau le plaisir de mon pied s'insinuant à l'intérieur de mon premier soulier : le frisson de la chair se glissant pour la première fois de ma vie dans l'antre[2] secrète dont les bords durs et souples à la fois enserraient de tous côtés tendrement, 55 étroitement, ma chair qui poussait, poussait encore et encore à l'intérieur tandis que ma mère m'exhortait[3] de sa voix douce et patiente, pousse, pousse encore un peu.

D'une main, elle propulsait délicatement mon pied tout au fond de la chaussure pendant que, de l'autre, elle le maintenait 60 par la semelle pour faire contrepoids, on aurait dit qu'elle cher-

---

1. Ivresse.
2. L'abri.
3. M'encourageait.

chait à me neutraliser alors qu'en réalité elle m'aidait à introduire tout entier, jusqu'au bout, jusqu'au moment délicieux où, comme s'il venait de vaincre l'ultime résistance, dans un dernier sursaut triomphal, mon talon se glissait entièrement dans la chaussure, emplissant enfin tout l'espace, jusqu'au moindre interstice, et dorénavant j'étais lové[1] à l'intérieur, à l'abri, et puis maman attrapait les lacets, les nouait, et finalement, telle une dernière caresse exquise, la languette tiède s'étirait sous les lacets et le nœud : ce geste me procure encore un frisson le long du pied. Et j'y suis. Dedans. Étroitement enlacé, embrassé, choyé, livré à l'étreinte de ma première chaussure de cuir.

Cette nuit-là, j'avais demandé l'autorisation de dormir avec mes chaussures : je voulais que ça continue. Ou, au moins, qu'on laisse mes chaussures neuves près de ma tête, le coussin, pour que je m'endorme avec le parfum du cuir et de la colle. Ce n'est qu'après de longues négociations et beaucoup de larmes que je finis par obtenir qu'on pose les chaussures sur une chaise, au chevet de mon lit, à condition que tu ne les touches pas, pas même un petit peu, jusqu'à demain matin, puisque tu t'es déjà lavé les mains ce soir, tu peux juste les regarder tout ton soûl[2], contempler leur bouche qui te sourit et respirer leur odeur jusqu'à ce que tu t'endormes en souriant de plaisir à ton tour dans ton sommeil. Comme une caresse.

Traduction de Sylvie Cohen, © Éditions Gallimard.

---

1. Blotti.
2. Autant que tu veux.

ANNIE ERNAUX (née en 1940)
La Place, 1983.

Dans ce récit, la narratrice évoque la place occupée par son père, ouvrier devenu commerçant, qui voit sa fille partir pour un monde qui l'a dédaigné : celui des études.

    Mon père est entré dans la catégorie des *gens simples* ou *modestes* ou *braves gens*. Il n'osait plus me raconter des histoires de son enfance. Je ne lui parlais plus de mes études. Sauf le latin, parce qu'il avait servi la messe, elles lui étaient incom-
5 préhensibles et il refusait de faire mine de s'y intéresser, à la différence de ma mère. Il se fâchait quand je me plaignais du travail ou critiquais les cours. Le mot « prof » lui déplaisait, ou « dirlo[1] », même « bouquin ». Et toujours la peur ou PEUT-ÊTRE LE DÉSIR que je n'y arrive pas.
10   Il s'énervait de me voir à longueur de journée dans les livres, mettant sur leur compte mon visage fermé et ma mauvaise humeur. La lumière sous la porte de ma chambre le soir lui faisait dire que je m'usais la santé. Les études, une souffrance obligée pour obtenir une bonne situation et *ne pas prendre[2] un*
15 *ouvrier*. Mais que j'aime me casser la tête lui paraissait suspect. Une absence de vie à la fleur de l'âge[3]. Il avait parfois l'air de penser que j'étais malheureuse.

---

1. Directeur, proviseur.
2. Ne pas choisir, épouser.
3. Les années de jeunesse.

Devant la famille, les clients, de la gêne, presque de la honte que je ne gagne pas encore ma vie à dix-sept ans, autour de nous toutes les filles de cet âge allaient au bureau, à l'usine ou servaient derrière le comptoir de leurs parents. Il craignait qu'on ne me prenne pour une paresseuse et lui pour un crâneur. Comme une excuse : « On ne l'a jamais poussée, elle avait ça dans elle. » Il disait que j'apprenais bien, jamais que je travaillais bien. Travailler, c'était seulement travailler de ses mains.

Les études n'avaient pas pour lui de rapport avec la vie ordinaire. Il lavait la salade dans une seule eau, aussi restait-il souvent des limaces. Il a été scandalisé quand, forte des principes de désinfection reçus en troisième, j'ai proposé qu'on la lave dans plusieurs eaux. Une autre fois, sa stupéfaction a été sans bornes, de me voir parler anglais avec un auto-stoppeur qu'un client avait pris dans son camion. Que j'aie appris une langue étrangère en classe, sans aller dans le pays, le laissait incrédule.

À cette époque, il a commencé d'entrer dans des colères, rares, mais soulignées d'un rictus[1] de haine. Une complicité me liait à ma mère. Histoires de mal au ventre mensuel, de soutien-gorge à choisir, de produits de beauté. Elle m'emmenait faire des achats à Rouen, rue du Gros-Horloge, et manger des gâteaux chez Périer, avec une petite fourchette. Elle cherchait

---

1. Une grimace.

à employer mes mots, flirt, être un crack[1], etc. On n'avait pas besoin de lui.

La dispute éclatait à table pour un rien. Je croyais toujours avoir raison parce qu'il ne savait pas *discuter*. Je lui faisais
45 des remarques sur sa façon de manger ou de parler. J'aurais eu honte de lui reprocher de ne pas pouvoir m'envoyer en vacances, j'étais sûre qu'il était légitime de vouloir le faire changer de manières. Il aurait peut-être préféré avoir une autre fille.

50 Un jour : « Les livres, la musique, c'est bon pour toi. Moi je n'en ai pas besoin pour *vivre*. »

Le reste du temps, il vivait patiemment. Quand je revenais de classe, il était assis dans la cuisine, tout près de la porte donnant sur le café, à lire *Paris-Normandie*[2], le dos voûté, les bras
55 allongés de chaque côté du journal étalé sur la table. Il levait la tête : « Tiens voilà la fille.

— Ce que j'ai faim !

— C'est une bonne maladie. Prends ce que tu veux. »

Heureux de me nourrir, au moins. On se disait les mêmes
60 choses qu'autrefois, quand j'étais petite, rien d'autre.

Je pensais qu'il ne pouvait plus rien pour moi. Ses mots et ses idées n'avaient pas cours dans les salles de français ou de philo,

---

1. Un champion.
2. Journal quotidien régional.

les séjours à canapé de velours rouge des amies de classe. L'été, par la fenêtre ouverte de ma chambre, j'entendais le bruit de sa bêche aplatissant régulièrement la terre retournée.

J'écris peut-être parce qu'on n'avait plus rien à se dire.

Écrire pour grandir, s'émanciper

AMÉLIE NOTHOMB (née en **1966**)
***Stupeur et Tremblements*, 1999.**

Cet extrait correspond à la situation finale du récit. En 1990, Amélie veut réaliser son rêve : devenir une vraie Japonaise. Engagée à l'origine comme interprète chez Yumimoto, elle subit une série d'humiliations, jusqu'à devenir « dame-pipi » dans les toilettes de l'entreprise.

Je passai ma journée aux commodités[1] du quarante-quatrième étage dans une atmosphère de religiosité : j'effectuais les moindres gestes avec la solennité d'un sacerdoce[2]. Je regrettais presque de ne pouvoir vérifier le mot de la vieille carmélite[3] : « Au Carmel, ce sont les trente premières années qui sont difficiles. »

Vers dix-huit heures, après m'être lavé les mains, j'allai serrer celles de quelques individus qui, à des titres divers m'avaient laissé entendre qu'ils me considéraient comme un être humain. La main de Fubuki[4] ne fut pas du lot. Je le regrettai, d'autant que je n'éprouvais envers elle aucune rancune : ce fut par amour-propre que je me contraignis à ne pas la saluer.

---

1. Toilettes.
2. Fonction religieuse.
3. Religieuse recluse qui fait vœu de silence et appartient à l'ordre du Carmel.
4. Supérieure hiérarchique d'Amélie.

Par la suite, je trouvai cette attitude stupide : préférer son orgueil à la contemplation d'un visage exceptionnel, c'était un mauvais calcul.

15 À dix-huit heures trente, je retournai une dernière fois au Carmel. Les toilettes pour dames étaient désertes. La laideur de l'éclairage au néon ne m'empêcha pas d'avoir le cœur serré : sept mois – de ma vie ? non ; de mon temps sur cette planète – s'étaient écoulés ici. Pas de quoi être nostalgique. Et pourtant
20 ma gorge se nouait.

D'instinct, je marchai vers la fenêtre. Je collai mon front à la vitre et je sus que c'était cela qui me manquerait : il n'était pas donné à tout le monde de dominer la ville du haut du quarante-quatrième étage.

25 La fenêtre était la frontière entre la lumière horrible et l'admirable obscurité, entre les cabinets et l'infini, entre l'hygiénique et l'impossible à laver, entre la chasse d'eau et le ciel. Aussi longtemps qu'il existerait des fenêtres, le moindre humain de la terre aurait sa part de liberté.

30 Une ultime fois, je me jetai dans le vide. Je regardai mon corps tomber.

Quand j'eus contenté ma soif de défenestration, je quittai l'immeuble Yumimoto. On ne m'y revit jamais.

Quelques jours plus tard, je retournai en Europe.

35 Le 14 janvier 1991, je commençai à écrire un manuscrit dont le titre était *Hygiène de l'assassin*.

Le 15 janvier était la date de l'ultimatum américain contre l'Irak. Le 17 janvier, ce fut la guerre.

Le 18 janvier, à l'autre bout de la planète, Fubuki Mori eut trente ans.

Le temps, conformément à sa vieille habitude, passa.

En 1992, mon premier roman fut publié.

En 1993, je reçus une lettre de Tokyo. Le texte en était ainsi libellé :

« Amélie-san,
Félicitations.
Mori Fubuki. »

MARGUERITE DURAS (1914-1996)
L'Amant, 1984.

Dans ce récit, Marguerite Duras raconte son enfance au Vietnam,
entre ses deux frères et une mère à la fois haïe et aimée.

Quinze ans et demi. Le corps est mince, presque chétif[1],
des seins d'enfant encore, fardée[2] en rose pâle et en rouge. Et
puis cette tenue qui pourrait faire qu'on en rie et dont personne ne rit. Je vois bien que tout est là. Tout est là et rien
5 n'est encore joué, je le vois dans les yeux, tout est déjà dans
les yeux. Je veux écrire. Déjà je l'ai dit à ma mère : ce que je
veux c'est ça, écrire. Pas de réponse la première fois. Et puis
elle demande : écrire quoi ? Je dis des livres, des romans.
Elle dit durement : après l'agrégation[3] de mathématiques tu
10 écriras si tu veux, ça ne me regardera plus. Elle est contre,
ce n'est pas méritant, ce n'est pas du travail, c'est une blague
– elle me dira plus tard : une idée d'enfant. [...]

Je lui ai répondu que ce que je voulais avant toute autre
chose c'était écrire, rien d'autre que ça, rien. Jalouse elle est.
15 Pas de réponse, un regard bref aussitôt détourné, le petit haus-
sement d'épaules, inoubliable. Je serai la première à partir. Il
faudra attendre encore quelques années pour qu'elle me perde,
pour qu'elle perde celle-ci, cette enfant-ci. Pour les fils il n'y

---

1. Faible, maigre.
2. Maquillée.
3. Concours de l'Éducation nationale.

avait pas de crainte à avoir. Mais celle-ci, un jour, elle le savait, elle partirait, elle arriverait à sortir. Première en français. Le proviseur lui dit : votre fille, madame, est première en français. Ma mère ne dit rien, rien, pas contente parce que c'est pas ses fils qui sont les premiers en français, la saleté, ma mère, mon amour, elle demande : et en mathématiques ? On dit : ce n'est pas encore ça, mais ça viendra. Ma mère demande : ça viendra quand ? On répond : quand elle le voudra, madame. […]

Dans les histoires de mes livres qui se rapportent à mon enfance, je ne sais plus tout à coup ce que j'ai évité de dire, ce que j'ai dit, je crois avoir dit l'amour que l'on portait à notre mère mais je ne sais pas si j'ai dit la haine qu'on lui portait aussi et l'amour qu'on se portait les uns les autres, et la haine aussi, terrible, dans cette histoire commune de ruine et de mort qui était celle de cette famille dans tous les cas, dans celui de l'amour comme dans celui de la haine et qui échappe encore à tout mon entendement[1], qui m'est encore inaccessible, cachée au plus profond de ma chair, aveugle comme un nouveau-né du premier jour. Elle est le lieu au seuil de quoi le silence commence. Ce qui s'y passe c'est justement le silence, ce lent travail pour toute ma vie. Je suis encore là, devant ces enfants possédés, à la même distance du mystère. Je n'ai jamais écrit, croyant le faire, je n'ai jamais aimé, croyant aimer, je n'ai jamais rien fait qu'attendre devant la porte fermée.

© Éditions de Minuit.

---

1. Compréhension.

ROALD DAHL (1916-1990)
Moi, Boy, 1984.

Dans ce récit, l'écrivain britannique se souvient de son enfance et de ses années passées au collège de Repton, en Grande-Bretagne.

Vous devez maintenant, j'en suis sûr, vous demander pourquoi j'insiste tellement sur les châtiments[1] corporels à l'école. La réponse est simple : je ne peux pas m'en empêcher. Durant toutes mes études, j'ai été horrifié par ce privilège accordé aux
5 maîtres et aux grands élèves d'infliger des blessures, parfois très graves, à de jeunes enfants. Je ne pouvais pas m'y habituer. Je n'ai jamais pu. Il serait, bien entendu, injuste de prétendre que tous les maîtres à l'époque passaient leur temps à rouer de coups tous les petits garçons. Ce n'était pas le cas. Quelques-uns seu-
10 lement, mais c'était bien suffisant pour laisser chez moi un sentiment d'horreur qui dure encore. Une autre impression purement physique subsiste encore chez moi. Même maintenant, lorsque je dois rester assis un peu longtemps sur un banc dur ou une chaise inconfortable, je commence à sentir mon cœur qui
15 bat le long de ces vieilles cicatrices que la canne a imprimées sur mon derrière, il y a bien cinquante-cinq ans de cela.

Il n'y a rien de mal à cingler de quelques coups rapides les fesses d'un petit garçon turbulent. Cela lui fait sans doute le plus grand bien. Mais le principal dont nous parlons ne

---

1. Punitions.

plaisantait pas quand il sortait sa canne pour administrer une raclée. Il ne m'a jamais battu, Dieu soit loué, mais mon meilleur ami à Repton, un garçon du nom de Michael, m'a fait une description saisissante de l'une de ces cérémonies. Michael reçut l'ordre de baisser son pantalon et de s'agenouiller sur le divan du principal, le buste courbé dans le vide au bout du divan. Le grand homme lui administra alors un coup terrifiant. Ensuite, il y eut une pause. Le principal posa la canne et entreprit de bourrer sa pipe de tabac. Il commença également à sermonner[1] le jeune garçon agenouillé, le mettant en garde contre le péché et la mauvaise conduite. L'instant d'après, il ramassa la canne et un deuxième coup violent s'abattit sur les fesses tremblantes. Le bourrage de pipe et le sermon reprirent alors pendant encore trente secondes. Puis vint le troisième coup de canne. L'instrument de torture fut alors une fois de plus déposé sur la table et le principal sortit une boîte d'allumettes. Il en craqua une et approcha la flamme du fourneau de sa pipe. La pipe ne s'alluma pas correctement. Un quatrième coup fut administré, tandis que le sermon continuait. Ce processus lent et terrifiant se poursuivit jusqu'à ce que dix coups se soient sauvagement abattus, et pendant tout ce temps-là, tout en allumant sa pipe, en craquant des allumettes, le principal poursuivit sans jamais s'arrêter son sermon sur le mal, les mauvaises actions, le péché, même pendant qu'il frappait. À la fin, le principal sortit une cuvette, une éponge et une

---

1. Faire la leçon.

45 petite serviette propre et ordonna à sa victime de laver le sang avant de se reculotter.

Vous étonnerez-vous alors que la conduite de cet homme m'ait désarçonné[1] ? C'était à l'époque un clergyman[2] ordinaire en même temps qu'un principal, et, assis dans la
50 pénombre de la chapelle du collège, je l'écoutais parler dans son prêche[3] de l'agneau de Dieu[4], de la miséricorde[5], de la clémence et ainsi de suite, et mon jeune esprit sombrait dans une totale confusion. Je savais parfaitement que, la veille même, ce prédicateur[6] n'avait fait montre ni de clémence ni
55 de miséricorde en frappant un petit garçon qui avait enfreint le règlement.

« Alors quelle explication trouver ? me demandais-je. Prêchaient-ils une doctrine[7] pour en pratiquer une autre, ces hommes de Dieu ? »

60 Si quelqu'un m'avait dit en ce temps-là que ce prêtre fouetteur deviendrait un jour archevêque[8] de Canterbury, je ne l'aurais pas cru un instant.

Ce furent ces expériences, je pense, qui firent naître en moi mes premiers doutes sur la religion et même sur Dieu. « Si cette

---

1. Perturbé, déséquilibré.
2. Prêtre.
3. Sermon fait à l'église ou au temple.
4. Jésus-Christ.
5. Compassion, pitié.
6. Celui qui fait un prêche.
7. Ici, ensemble de règles religieuses.
8. Une des plus hautes fonctions de l'Église anglicane.

personne, ne cessais-je de me répéter, était l'un des représentants élus de Dieu sur terre, alors il y avait vraiment quelque chose qui clochait dans tout le système. »

Traduction de Janine Hérisson, © Éditions Gallimard Jeunesse.

JOSEPH JOFFO (né en 1931)
Un sac de billes, 1973.

Paris, 1941, porte de Clignancourt. Maurice et Joseph vivent heureux dans leur famille. Mais les Allemands occupent Paris et imposent le port de l'étoile jaune aux juifs. Leur père leur annonce alors leur départ, seuls, pour la zone libre.

Papa n'a pas fini, au ton qu'il prend je sais que c'est le plus important qui va venir.

— Enfin, dit-il, il faut que vous sachiez une chose. Vous êtes juifs mais ne l'avouez jamais. Vous entendez : JAMAIS.

5   Nos deux têtes acquiescent[1] ensemble.

— À votre meilleur ami vous ne le direz pas, vous ne le chuchoterez même pas à voix basse, vous nierez toujours. Vous m'entendez bien : toujours. Joseph, viens ici.

Je me lève et m'approche, je ne le vois plus du tout à présent.

10   — Tu es juif, Joseph ?

— Non.

Sa main a claqué sur ma joue, une détonation sèche. Il ne m'avait jamais touché jusqu'ici.

— Ne mens pas, tu es juif, Joseph ?

15   — Non.

J'avais crié sans m'en rendre compte, un cri définitif, assuré. Mon père s'est relevé.

---

1. Disent oui.

– Eh bien voilà, dit-il, je crois que je vous ai tout dit. La situation est claire à présent.

La joue me cuisait[1] encore mais j'avais une question qui me trottait dans la tête depuis le début de l'entretien à laquelle il me fallait une réponse.

– Je voudrais te demander : qu'est-ce que c'est qu'un Juif ?

Papa a éclairé cette fois, la petite lampe à l'abat-jour vert qui se trouvait sur la table de nuit de Maurice. Je l'aimais bien, elle laissait filtrer une clarté diffuse et amicale que je ne reverrais plus.

Papa s'est gratté la tête.

– Eh bien, ça m'embête un peu de te le dire, Joseph, mais au fond, je ne sais pas très bien.

Nous le regardions et il dut sentir qu'il fallait continuer, que sa réponse pouvait apparaître aux enfants que nous étions comme une reculade.

– Autrefois, dit-il, nous habitions un pays, on en a été chassés alors nous sommes partis partout et il y a des périodes, comme celle dans laquelle nous sommes, où ça continue. C'est la chasse qui est réouverte, alors il faut repartir et se cacher, en attendant que le chasseur se fatigue. Allons, il est temps d'aller à table, vous partirez tout de suite après.

Je ne me souviens pas du repas, il me reste simplement des sons ténus[2] de cuillères heurtées sur le bord de l'assiette, des murmures pour demander à boire, le sel, des choses de ce

---

1. Me brûlait.
2. Faibles.

genre. Sur une chaise paillée, près de la porte, il y avait nos deux musettes[1], bien gonflées, avec du linge dedans, nos affaires de toilette, des mouchoirs pliés.

45   Sept heures ont sonné à l'horloge du couloir.

– Eh bien, voilà, a dit papa, vous êtes parés[2]. Dans la poche de vos musettes, celle qui a la fermeture Éclair, il y a vos sous et un petit papier à l'adresse exacte d'Henri et d'Albert. Je vais vous donner deux tickets pour le métro, vous dites au revoir à 50 maman et vous partez.

Elle nous a aidés à enfiler les manches de nos manteaux, à nouer nos cache-nez. Elle a tiré nos chaussettes. Sans discontinuer, elle souriait et sans discontinuer ses larmes coulaient, je sentis ses joues mouillées contre mon front, ses lèvres aussi, 55 humides et salées.

Papa l'a remise debout et s'est esclaffé[3], le rire le plus faux que j'aie jamais entendu.

– Mais enfin, s'exclama-t-il, on dirait qu'ils partent pour toujours et que ce sont des nouveau-nés ! Allez, sauvez-vous, à 60 bientôt les enfants.

Un baiser rapide et ses mains nous ont poussés vers l'escalier, la musette pesait à mon bras et Maurice a ouvert la porte sur la nuit.

Quant à mes parents, ils étaient restés en haut. J'ai su plus 65 tard, lorsque tout fut fini, que mon père était resté debout, se

---

1. Sacoches.
2. Prêts.
3. S'est mis à rire.

balançant doucement les yeux fermés, berçant une douleur immémoriale[1].

Dans la nuit sans lumière, dans les rues désertes à l'heure où le couvre-feu[2] allait bientôt sonner, nous disparûmes dans les ténèbres.

C'en était fait de l'enfance.

---

1. Si lointaine dans le temps que l'on ne peut plus s'en souvenir.
2. Mesure qui interdit de sortir.

Écrire pour se connaître

<u>**MICHEL LEIRIS (1901-1990)**</u>
L'Âge d'homme, **1939.**

Dans ce texte, Michel Leiris a le souci de « faire le portrait le mieux exécuté et le plus ressemblant du personnage » qu'il était. Ici, il raconte un souvenir cuisant de son enfance.

Âgé de cinq ou six ans, je fus victime d'une agression. Je veux dire que je subis dans la gorge une opération qui consista à m'enlever des végétations ; l'intervention eut lieu d'une manière très brutale, sans que je fusse anesthésié. Mes parents avaient d'abord commis la faute de m'emmener chez le chirurgien sans me dire où ils me conduisaient. Si mes souvenirs sont justes, je m'imaginais que nous allions au cirque ; j'étais donc très loin de prévoir le tour sinistre que me réservaient le vieux médecin de la famille, qui assistait le chirurgien, et ce dernier lui-même. Cela se déroula, point pour point, ainsi qu'un coup monté et j'eus le sentiment qu'on m'avait attiré dans un abominable guet-apens[1]. Voici comment les choses se passèrent : laissant mes parents dans le salon d'attente, le vieux médecin m'amena jusqu'au chirurgien, qui se tenait dans une

---

1. Piège.

15 autre pièce en grande barbe noire et blouse blanche (telle est, du moins, l'image d'ogre que j'en ai gardée) ; j'aperçus des instruments tranchants et, sans doute, eus-je l'air effrayé car, me prenant sur ses genoux, le vieux médecin dit pour me rassurer : « Viens, mon petit coco ! On va jouer à faire la cui-
20 sine. » À partir de ce moment je ne me souviens de rien, sinon de l'attaque soudaine du chirurgien qui plongea un outil dans ma gorge, de la douleur que je ressentis et du cri de bête qu'on éventre que je poussai. Ma mère, qui m'entendit d'à côté, fut effarée.

25 Dans le fiacre[1] qui nous ramena je ne dis pas un mot ; le choc avait été si violent que pendant vingt-quatre heures il fut impossible de m'arracher une parole ; ma mère, complètement désorientée, se demandait si je n'étais pas devenu muet. Tout ce que je me rappelle de la période qui suivit immédiatement
30 l'opération, c'est le retour en fiacre, les vaines[2] tentatives de mes parents pour me faire parler puis, à la maison : ma mère me tenant dans ses bras devant la cheminée du salon, les sorbets qu'on me faisait avaler, le sang qu'à diverses reprises je dégurgitai[3] et qui se confondait pour moi avec la couleur fraise des
35 sorbets.

  Ce souvenir est, je crois, le plus pénible de mes souvenirs d'enfance. Non seulement je ne comprenais pas que l'on m'eût fait si mal, mais j'avais la notion d'une duperie, d'un piège,

---

1. Voiture tirée par un cheval.
2. Inutiles.
3. Vomissai.

d'une perfidie[1] atroce de la part des adultes, qui ne m'avaient amadoué que pour se livrer sur ma personne à la plus sauvage agression. Toute ma représentation de la vie en est restée marquée : le monde, plein de chausse-trapes[2], n'est qu'une vaste prison ou salle de chirurgie ; je ne suis sur terre que pour devenir chair à médecins, chair à canons, chair à cercueil ; comme la promesse fallacieuse[3] de m'emmener au cirque ou de jouer à faire la cuisine, tout ce qui peut m'arriver d'agréable en attendant n'est qu'un leurre[4], une façon de me dorer la pilule[5] pour me conduire plus sûrement à l'abattoir où, tôt ou tard, je dois être mené.

---

1. Trahison.
2. Pièges.
3. Trompeuse.
4. Tromperie.
5. M'adoucir, m'amadouer.

ANNE FRANK (1929-1945)
Le Journal d'Anne Frank, 1947.

Dans ce passage, Anne évoque pour Kitty, son amie imaginaire, la découverte du désir amoureux et des questions qui l'accompagnent.

Chère Kitty,

Je n'ai jamais oublié mon rêve de Peter Schiff (voir début janvier), quand j'y pense je sens encore aujourd'hui sa joue contre la mienne, avec cette merveilleuse sensation, qui ren-
5 dait tout bon. Avec Peter, celui d'ici, j'avais parfois aussi ce sentiment, mais jamais aussi fort, jusqu'au moment où... nous étions assis ensemble hier soir, comme d'habitude sur le divan, dans les bras l'un de l'autre, alors l'Anne ordinaire a soudain disparu et a été remplacée par la deuxième Anne, cette Anne
10 qui n'est pas exubérante[1] et amusante, mais qui veut seulement aimer et être tendre. J'étais serrée contre lui et sentais monter en moi l'émotion, les larmes ont jailli de mes yeux, celle de gauche est tombée sur son bleu de travail[2], celle de droite a coulé le long de mon nez, dans le vide, et aussi sur son bleu.
15 S'en serait-il aperçu ? Aucun geste ne le trahissait. Aurait-il les mêmes sentiments que moi ? Il n'a presque rien dit non plus. Se douterait-il qu'il a deux Anne en face de lui ? Autant de questions sans réponse.

---

1. Débordante d'énergie.
2. Vêtement de travail d'un ouvrier.

À huit heures et demie, je me suis levée, je suis allée à la fenêtre, c'est là que nous nous disons toujours au revoir, je tremblais encore, j'étais encore Anne numéro deux, il s'est approché de moi, je lui ai passé mes bras autour du cou et j'ai déposé un baiser sur sa joue gauche, j'allais faire de même sur la droite lorsque ma bouche a rencontré la sienne et nous les avons pressées l'une sur l'autre. Pris de vertige, nous nous pressions l'un contre l'autre, encore et encore, pour ne plus jamais cesser, oh !

Peter a besoin de tendresse, pour la première fois de sa vie il a découvert une fille, pour la première fois il a vu que les filles les plus taquines ont aussi une vie intérieure et un cœur et qu'elles changent dès qu'elles sont seules avec vous. Pour la première fois de sa vie, il a donné son amitié et s'est donné lui-même ; jamais encore, jamais auparavant, il n'a eu d'ami ou d'amie. À présent, nous nous sommes rencontrés, je ne le connaissais pas non plus, n'avais jamais eu non plus de confident et voilà où nous sommes arrivés… Et revoilà cette question, qui ne me lâche pas : « Est-ce que c'est bien ? » Est-ce bien de céder si vite, d'être si passionnée, aussi passionnée et pleine de désirs que Peter lui-même ? Ai-je le droit, moi, une fille, de me laisser aller ainsi ?

Je ne connais qu'une seule réponse : « J'en ai tant envie… depuis si longtemps, je suis si solitaire et j'ai enfin trouvé une consolation ! »

Le matin, nous sommes normaux, l'après-midi encore à peu près, sauf de temps en temps, mais le soir le désir accumulé

dans la journée, le bonheur et les délices de toutes les fois
45 précédentes prennent le dessus et nous ne pensons plus que
l'un à l'autre. Chaque soir, après le dernier baiser, je voudrais
me sauver en courant, ne plus le regarder au fond des yeux,
me sauver, me sauver, dans le noir et toute seule ! Et qu'est-ce
qui m'attend, quand j'ai descendu les quatorze marches ? La
50 lumière crue[1], des questions par-ci et des rires par-là, je dois
agir et ne rien laisser voir. Mon cœur est encore trop tendre
pour repousser aussitôt un choc comme celui d'hier soir, Anne
la douce vient trop rarement et, de ce fait, ne se laisse pas non
plus mettre à la porte immédiatement ; Peter m'a touchée, plus
55 profondément que je ne l'avais jamais été dans ma vie, sauf dans
mon rêve ! Peter m'a empoignée et m'a retournée à l'intérieur,
n'est-il pas normal, pour n'importe quel être humain, d'avoir
ensuite besoin de calme pour remettre de l'ordre dans son
intérieur ? Oh, Peter, qu'as-tu fait de moi ? Qu'attends-tu de
60 moi ? Où cela nous mène-t-il ? Oh, maintenant je comprends
Bep, maintenant, maintenant que j'en passe par là, maintenant
je comprends ses doutes ; si j'étais plus âgée et qu'il veuille se
marier avec moi, que répondrais-je donc ? Anne, sois franche !
Tu ne serais pas capable de l'épouser, mais laisser tomber, c'est
65 tellement difficile. Peter a encore trop peu de caractère, trop
peu de volonté, trop peu de courage et de force. C'est encore
un enfant, pas plus âgé que moi intérieurement ; il ne cherche
que la paix et le bonheur. N'ai-je vraiment que quatorze ans ?

---

1. Violente.

Ne suis-je vraiment encore qu'une écolière godiche[1] ? Suis-je encore vraiment si inexpérimentée en toutes choses ? J'ai plus d'expérience que les autres, j'ai vécu quelque chose que personne ou presque ne connaît à mon âge.

J'ai peur de moi-même, j'ai peur, dans mon désir, de m'abandonner trop vite, comment cela pourra-t-il marcher, plus tard, avec d'autres garçons ? Oh, c'est difficile, on se retrouve avec le cœur et la raison, chacun doit parler à son heure, mais suis-je vraiment sûre d'avoir bien choisi cette heure ?

Bien à toi,

Anne M. Frank

---

1. Maladroite.

MARJANE SATRAPI (née en 1969)
Persepolis[1], Tome 1, 2000.

Ce premier tome évoque l'enfance de l'auteur en Iran. Son oncle adoré, opposant au régime, est accusé de trahison et exécuté. La confiance de Marjane cède devant cette réalité de la mort.

---

1. Ville des anciens Perses.

PHILIPPE GRIMBERT (né en 1948)
Un secret, 2004.

Fils unique, le narrateur s'est inventé, petit, un frère. À l'adoles-
cence, il découvre que son père a bien eu un autre fils, dont l'exis-
tence tragique lui est peu à peu révélée. Devenu adulte, il apprend
à son père qu'il connaît le secret familial.

Une heure plus tard j'étais de retour. Je suis entré dans la
chambre, mon père était assis sur le bord du lit, la tête entre les
mains. Il avait tiré les doubles rideaux, la pièce n'était éclairée
que par sa lampe de chevet. J'ai pris place à côté de lui et je lui
5 ai dit mon chagrin. Sans relever la tête il m'a répondu, d'une
voix éteinte. Il m'a dit qu'Écho[1] était mort par sa faute. Je me
suis entendu lui dire que c'était vrai, qu'il était responsable de
cela, mais de cela seulement. Cette phrase m'est venue sans
que je l'aie préméditée. Il s'est redressé, pendant que je fixais la
10 fenêtre, mon épaule contre la sienne, son regard interrogateur
pesant sur moi. J'ai ajouté que j'étais fier de ce dont j'avais
hérité, fier qu'ils m'aient tous deux transmis cette difficulté,
cette question toujours ouverte qui m'avait rendu plus fort.
Fier de mon nom, au point de souhaiter en rétablir l'ortho-
15 graphe d'origine[2]. Cela aussi m'a échappé et mon père a sou-
piré, comme si j'anéantissais des années d'effort.

---

1. Nom du chien de la famille.
2. Grimbert est la francisation du nom juif Grinberg.

Après une profonde inspiration j'ai continué. J'ai prononcé le nom d'Hannah et celui de Simon. Surmontant ma crainte de le blesser je lui ai livré tout ce que j'avais appris, ne laissant dans l'ombre que l'acte suicidaire d'Hannah. Je l'ai senti se raidir, serrer ses mains sur ses genoux. J'ai vu blanchir ses jointures mais, décidé à poursuivre, je lui ai donné le numéro du convoi, la date du départ de sa femme et de son fils pour Auschwitz, celle de leur mort. Je lui ai dit qu'ils n'avaient pas connu l'horreur quotidienne du camp. Seule la haine des persécuteurs[1] était responsable de la mort d'Hannah et de Simon. Sa douleur d'aujourd'hui, sa culpabilité de toujours ne devaient pas permettre à cette haine d'exercer encore une fois ses effets. Je n'ai rien dit de plus. Je me suis levé, j'ai tiré les doubles rideaux, ouvert la porte et demandé à ma mère de nous rejoindre. Et j'ai tout répété, afin qu'elle sache, elle aussi.

Mon père est sorti de sa chambre pour dîner avec nous. Au moment où je partais me coucher il m'a arrêté, d'une pression légère de sa main sur mon épaule. Je l'ai serré dans mes bras, ce que de ma vie je n'avais encore jamais fait. Son corps m'a paru frêle[2], celui d'un homme âgé que je dominais maintenant d'une tête. Me sentant étrangement fort je n'ai pas versé une larme, la mort de notre chien avait été l'occasion d'un nouveau retournement : je venais de délivrer mon père de son secret.

---

1. Bourreaux.
2. Fragile.

FRED UHLMAN (1901-1985)
L'Ami retrouvé, 1971.

À 16 ans, en 1932, Hans Schwarz, lycéen de Stuttgart et fils d'un médecin juif, découvre l'amitié, mais aussi les tragédies de la vie. Elles le font s'interroger sur l'utilité d'un Dieu.

Un soir, alors que les parents étaient sortis et que la servante était allée faire une course, la maison de bois se trouva soudain en flammes et l'embrasement fut si rapide que les enfants avaient été brûlés vifs avant l'arrivée des pompiers. Je ne vis
5   pas l'incendie ni n'entendis les cris de la servante et de la mère. Je n'appris la nouvelle que le lendemain quand je vis les murs noircis, les poupées carbonisées, ainsi que les cordes roussies de la balançoire qui pendaient comme des serpents de l'arbre presque calciné[1].
10   Cela m'ébranla comme rien ne l'avait fait auparavant. J'avais entendu parler de tremblements de terre qui avaient englouti des milliers de personnes, de coulées de lave brûlante qui avaient recouvert des villages entiers, d'océans où des îles s'étaient engouffrées. J'avais lu qu'un million d'âmes avaient été noyées
15   par l'inondation du fleuve Jaune et deux millions par celle du Yang Tse-kiang[2]. Je savais qu'un million de soldats étaient morts à Verdun. Mais ce n'étaient là que des abstractions[3], des

---

1. Brûlé.
2. Fleuves d'Asie.
3. Idées.

chiffres, des statistiques, des informations. On ne peut souffrir pour un million d'êtres.

Mais ces trois enfants, je les avais connus, je les avais vus de mes propres yeux, c'était tout à fait différent. Qu'avaient-ils fait, qu'avaient fait leurs pauvres parents pour mériter un tel sort ?

Il me semblait qu'il n'y eût que cette alternative : ou bien aucun Dieu n'existait, ou bien il existait une déité[1], monstrueuse si elle était toute-puissante et vaine si elle ne l'était point. Une fois pour toutes, je rejetai toute croyance en un être supérieur et bienveillant.

Je parlai de tout cela à mon ami en propos passionnés et désespérés. Quant à lui, élevé dans la stricte foi protestante, il refusa d'accepter ce qui me paraissait alors la seule conclusion logique possible : il n'existait pas de père divin ou, s'il existait, il ne se souciait pas de l'humanité et, par conséquent était aussi inutile qu'un dieu païen[2]. Conrad admit que ce qui était arrivé était terrible et qu'il n'en pouvait trouver aucune explication. Certainement, affirmait-il, il devait y avoir une réponse à cette question, mais nous étions encore trop jeunes et inexpérimentés pour la découvrir. De telles catastrophes survenaient depuis des millions d'années, des hommes plus avertis que nous et plus intelligents – des prêtres, des évêques, des saints – en avaient discuté et trouvé des explications. Nous devions accepter leur sagesse supérieure et nous montrer humblement[3] soumis.

---

1. Divinité.
2. Dieu vénéré par des croyants polythéistes (qui admettent l'existence de plusieurs dieux).
3. Modestement.

Je rejetai farouchement tout cela, lui dis que peu m'importaient les dires de tous ces vieux fumistes[1], que rien, absolument rien ne pouvait ni expliquer ni excuser cette mort de deux

45 petites filles et d'un jeune garçon. « Ne les vois-tu pas brûler ? m'écriai-je avec désespoir. N'entends-tu pas leurs cris ? Et tu as l'aplomb de justifier la chose parce que tu n'es pas assez courageux pour vivre sans ton Dieu. De quelle utilité est pour toi ou pour moi un Dieu impuissant et cruel ? Un Dieu assis

50 sur les nuages et tolérant la malaria, le choléra[2], la famine et la guerre ? »

Traduction de Léo Lack, © Éditions Gallimard.

---

1. Personnes peu sérieuses.
2. Maladies mortelles.

Écrire pour témoigner

SIMONE DE BEAUVOIR (1908-1986)
La Force de l'âge, 1960.

Dans ce passage du deuxième tome de ses Mémoires, Simone de Beauvoir évoque le rôle de la fête dans un Paris qui n'est pas encore libéré du joug nazi.

Pour moi[1], la fête est avant tout une ardente apothéose[2] du présent, en face de l'inquiétude de l'avenir ; un calme écoulement de jours heureux ne suscite pas de fête : mais si, au sein du malheur, l'espoir renaît, si l'on retrouve une prise sur le monde et sur le temps, alors l'instant se met à flamber, on peut s'y enfermer et se consumer en lui : c'est fête. L'horizon, au loin, reste toujours brouillé, les menaces s'y mêlent aux promesses et c'est pourquoi toute fête est pathétique[3] : elle affronte cette ambiguïté et ne l'esquive pas. Fêtes nocturnes des amours naissantes, fêtes massives des jours de victoire : il y a toujours un goût mortel au fond des ivresses vivantes, mais la mort, pendant un moment fulgurant, est réduite à rien. Nous étions menacés ;

---

1. Caillois dans *Le Mythe de la fête* et Georges Bataille dans *La Part du diable* ont donné de ce phénomène une analyse beaucoup plus exhaustive : j'indique seulement ce qu'il a signifié pour moi. Chacun des écrivains qui s'y sont intéressés l'a interprété à sa façon : le rôle de la fête chez Rousseau, par exemple, a été bien mis en lumière par Starobinski dans *La Transparence et l'Obstacle*. [Note de Simone de Beauvoir]
2. Élévation, victoire.
3. Source de douleur.

après la délivrance, bien des démentis[1] nous attendaient, bien des tristesses et l'incertain tohu-bohu[2] des mois et des années ;
15 nous ne nous leurrions pas : nous voulions seulement arracher à cette confusion quelques pépites de joie et nous saouler de leur éclat, au défi des lendemains qui déchantent.

Nous y réussissions grâce à notre connivence[3] ; le détail de ces nuits comptait peu : il nous suffisait d'être ensemble. Cette
20 gaieté, en chacun de nous vacillante, sur les visages qui nous entouraient devenait un soleil et nous illuminait : l'amitié y avait autant de part que les succès alliés. Les circonstances resserraient encore, de manière symbolique, les liens dont j'ai dit la vigueur et la jeunesse. Une infranchissable zone de silence et de nuit nous
25 isolait de tous ; impossible d'entrer, de sortir : nous habitions une arche[4]. Nous devenions une sorte de fraternité, déchaînant à l'abri du monde ses rites secrets. Et le fait est qu'il nous fallait inventer des sortilèges[5] : car enfin le débarquement n'avait pas encore eu lieu, Paris n'était pas libéré ni Hitler abattu ; comment
30 célébrer des événements qui ne sont pas accomplis ? Il existe des conduites magiques, qui abolissent les distances à travers l'espace et le temps : les émotions. Nous suscitions une vaste émotion collective qui réalisait sans délai tous nos vœux : la victoire devenait tangible[6] dans la fièvre qu'elle allumait.

---

1. Contradictions, négations des espoirs.
2. Bouleversement.
3. Complicité.
4. Un lieu isolé.
5. Des enchantements.
6. Concrète.

Daniel Pennac (né en 1944)
Chagrin d'école, 2007.

Au début de cet extrait, qui évoque la « douleur partagée du cancre, des parents et des professeurs », l'auteur rapporte un dialogue avec son frère, qui fut témoin de sa souffrance à l'école quand ils étaient plus jeunes.

– Un livre de plus sur l'école, alors ? Tu trouves qu'il n'y en a pas assez ?

– Pas sur l'école ! Tout le monde s'occupe de l'école, éternelle querelle des anciens et des modernes : ses programmes, son rôle social, ses finalités, l'école d'hier, celle de demain… Non, un livre sur le cancre ! *Sur la douleur de ne pas comprendre, et ses dégâts collatéraux*[1].

– …

– Tu en as bavé tant que ça ?

– …

– …

– Peux-tu me dire autre chose sur le cancre que j'étais ?

– Tu te plaignais de ne pas avoir de mémoire. Les leçons que je te faisais apprendre le soir s'évaporaient dans la nuit. Le lendemain matin tu avais tout oublié.

Le fait est. Je n'imprimais pas, comme disent les jeunes gens d'aujourd'hui. Je ne captais ni n'imprimais. Les mots les plus simples perdaient leur substance dès qu'on me deman-

---

1. Qui l'accompagnent.

dait de les envisager comme objet de connaissance. Si je
20 devais apprendre une leçon sur le massif du Jura, par exemple
(plus qu'un exemple, c'est, en l'occurrence, un souvenir très
précis), ce petit mot de deux syllabes se décomposait aussitôt
jusqu'à perdre tout rapport avec la Franche-Comté, l'Ain,
l'horlogerie, les vignobles, les pipes, l'altitude, les vaches, les
25 rigueurs de l'hiver, la suisse frontalière, le massif alpin ou
la simple montagne. Il ne représentait plus rien. Jura, me
disais-je, Jura ? Jura... Et je répétais le mot, inlassablement,
comme un enfant qui n'en finit pas de mâcher, mâcher et
ne pas avaler, répéter et ne pas assimiler, jusqu'à la totale
30 décomposition du goût et du sens, mâcher, répéter, Jura,
Jura, jura, jura, jus, rat, jus, ra ju ra ju ra jurajurajura, jusqu'à
ce que le mot devienne une masse sonore indéfinie, sans le
plus petit reliquat[1] de sens, un bruit pâteux d'ivrogne dans
une cervelle spongieuse[2]... C'est ainsi qu'on s'endort sur une
35 leçon de géographie.

— Tu prétendais détester les majuscules.

Ah ! Terribles sentinelles, les majuscules ! Il me semblait
qu'elles se dressaient entre les noms propres et moi pour m'en
interdire la fréquentation. Tout mot frappé d'une majuscule
40 était voué à l'oubli instantané : villes, fleuves, batailles, héros,
traités, poètes, galaxies, théorèmes, interdits de mémoire pour
cause de majuscule tétanisante[3]. Halte là, s'exclamait la majus-

---

1. Reste.
2. Molle comme une éponge.
3. Bloquante.

cule, on ne franchit pas la porte de ce nom, il est trop *propre*, on n'en est pas digne, on est un crétin !

Précision de Bernard, le long de notre chemin :

– Un crétin minuscule !

Rire des deux frères.

– Et plus tard, rebelote[1] avec les langues étrangères : je ne pouvais pas m'ôter de l'idée qu'il s'y disait des choses trop intelligentes pour moi.

– Ce qui te dispensait d'apprendre tes listes de vocabulaire.

– Les mots d'anglais étaient aussi volatils[2] que les noms propres…

– …

– …

– Tu te racontais des histoires, en somme.

Oui, c'est le propre des cancres, ils se racontent en boucle l'histoire de leur cancrerie : je suis nul, je n'y arriverai jamais, même pas la peine d'essayer, c'est foutu d'avance, je vous l'avais bien dit, l'école n'est pas faite pour moi… L'école leur paraît un club très fermé dont ils s'interdisent l'entrée. Avec l'aide de quelques professeurs, parfois.

– …

– …

Deux messieurs d'un certain âge se promènent le long d'une rivière. En bout de promenade ils tombent sur un plan d'eau cerné de roseaux et de galets.

. De nouveau.
. Légers, immatériels.

Bernard demande :
– Tu es toujours aussi bon, en ricochets ?

ROBERT ANTELME (1917-1990)

L'Espèce humaine, 1947.

Avec Si c'est un homme, *de Primo Levi, ce récit est un des témoignages les plus forts de l'expérience concentrationnaire. Ce passage évoque un des moyens de s'en arracher, mais pour un temps seulement...*

— Dimanche, *il faudra faire quelque chose,* on ne peut pas rester comme ça. Il faut sortir de la faim. Il faut parler aux types. Il y en a qui dégringolent, qui s'abandonnent, ils se laissent crever. Il y en a même qui ont oublié pour quoi ils sont là. Il faut parler.

Ça se passait dans le tunnel, et ça se disait de bête de somme[1] à bête de somme. Ainsi, un langage se tramait[2], qui n'était plus celui de l'injure ou de l'éructation[3] du ventre, qui n'était pas non plus les aboiements de chiens autour du baquet de rab[4]. Celui-là creusait une distance entre l'homme et la terre boueuse et jaune, le faisait distinct, non plus enfoui en elle mais maître d'elle, maître aussi de s'arracher à la poche vide du ventre. Au cœur de la mine, dans le corps courbé, dans la tête défigurée, le monde s'ouvrait.

Il faisait de plus en plus sombre dans le block[5]. Autour du poêle quelques-uns se chauffaient. La plupart des autres étaient étendus sur leur paillasse. Ils savaient que cet après-midi, il y

. Bête utilisée pour le travail de force.
. Se tissait.
. Bruit, cri.
. Supplément de nourriture.
. Baraquement.

aurait « quelque chose » et ils attendaient. Gaston est allé avec
un copain prendre derrière le block un des panneaux qu'on
avait transportés depuis le talus[1] de la voie ferrée. Quand ils sont
revenus, ils ont posé le panneau boueux sur le premier étage des
20 deux châlits[2], près de la porte de la chambre. C'était le tréteau[3].
Comme il faisait très sombre, Gaston a allumé une petite lampe
à huile – c'était une boîte de métal remplie d'huile de machine
dans laquelle trempait un morceau de mèche[4] – et l'a posée sur
un montant du châlit, au-dessus du tréteau. La lumière éclaire-
25 rait de cette façon le copain qui serait sur le panneau. Gaston
s'affairait silencieusement. Les autres, de leur paillasse, soule-
vaient la tête et suivaient des yeux les gestes de Gaston. Ceux qui
étaient autour du poêle jetaient de temps à autre un coup d'œil
sur le tréteau et la lampe à huile tout en ne cessant de surveiller
30 leurs épluchures qui grillaient.

L'installation était achevée. Il fallait commencer. Mais ceux
qui devaient participer à la réunion n'étaient pas là. Gaston
est allé dans la chambre voisine chercher Jo, le grand type de
Nevers. Jo avait une tête carrée, des yeux sombres, de longs plis
35 descendaient de son nez jusqu'à son menton, de chaque côté
de sa bouche. Assis sur sa paillasse il recousait son pantalon. Les
autres, comme ceux de notre chambre, étaient assis autour du
poêle ou allongés sur leur paillasse.

---

1. Pente.
2. Cadres sur lesquels reposent les lits.
3. Support de la scène au théâtre.
4. Cordon inflammable.

— Qu'est-ce que tu veux que je fasse ? a demandé Jo de sa voix forte et nasillarde[1].

— Eh bien, tu vas chanter quelque chose, dit Gaston, il faut remuer les gars.

— Bon, dit Jo, en coupant le fil de son pantalon.

Gaston, tout en attendant Jo, regardait les autres qui avaient entendu et qui ne bougeaient pas. Il a crié de sa voix sourde :

— Dites donc, les copains, on fait une réunion à côté, il y a des copains qui vont chanter. Il faut venir !

Ceux qui étaient autour du poêle et qui faisaient eux aussi griller des épluchures ou cuire des soupes, se sont retournés et ont regardé Gaston longuement. Ceux qui étaient allongés sur leur paillasse se sont soulevés.

— Venez ! criait Gaston.

Quelques-uns se sont assis sur leur paillasse et ont enfilé leur pantalon. Jo, lui, était prêt. Il est descendu de son lit et ils ont quitté lentement leur chambre pour la nôtre tandis que Gaston criait encore : « Venez ! »

Chez nous, ceux qui étaient sur leur paillasse n'avaient pas à se déranger. Ils attendaient vaguement.

Francis aussi devait y participer. Il devait dire des poésies. Il était assis sur sa paillasse qui se trouvait tout près du tréteau et, la tête dans les mains, il se récitait la poésie qu'il allait dire. Quelque temps auparavant, Gaston avait demandé à des copains d'essayer de se souvenir des poésies qu'ils connaissaient

---

[1]. Qui vient du nez.

et d'essayer de les transcrire[1]. Chacun d'eux, le soir, allongé sur
65 sa paillasse, essayait de se souvenir et quand il n'y parvenait pas,
allait consulter un copain. Ainsi, des poèmes entiers avaient pu
être reconstitués par l'addition des souvenirs qui était aussi une
addition de forces. Lancelot – un marin qui était mort peu de
temps avant cette réunion – avait transcrit les poèmes sur des
70 petits bouts de carton qu'il avait trouvés au magasin de l'usine.

C'était sur un des bouts de carton laissés par Lancelot que
Francis avait étudié la poésie qu'il voulait maintenant réciter.

Des camarades sont arrivés de l'autre chambre et se sont
assis sur des bancs qui avaient été disposés le long des châlits,
75 de chaque côté de l'allée. Cet afflux soudain a réveillé ceux de
la nôtre qui ont commencé à croire qu'il allait vraiment y avoir
quelque chose et attendaient plus sérieusement. En tout cas
leur attention était éveillée et c'était l'essentiel. Même ceux qui
étaient autour du poêle étaient maintenant tentés de s'appro-
80 cher du tréteau et de sacrifier leur place.

© Éditions Gallimard

---

1. Les noter sur le papier.

AIMÉ CÉSAIRE (1913-2008)
Cahier d'un retour au pays natal, 1939.

Cette prose poétique est un des textes fondateurs de la négritude, mouvement de revendication par des écrivains et intellectuels noirs de leur parole et de leur identité.

Non, nous n'avons jamais été amazones[1] du roi du Dahomey[2], ni princes de Ghana[3] avec huit cents chameaux, ni docteurs à Tombouctou[4] Askia le Grand étant roi, ni architectes de Djenné[5], ni Mahdis[6], ni guerriers. Nous ne nous sentons pas sous l'aisselle la démangeaison de ceux qui tinrent jadis la lance. Et puisque j'ai juré de ne rien celer[7] de notre histoire (moi qui n'admire rien tant que le mouton broutant son ombre d'après-midi), je veux avouer que nous fûmes de tout temps d'assez piètres laveurs de vaisselle, des cireurs de chaussures sans envergure, mettons les choses au mieux, d'assez consciencieux sorciers et le seul indiscutable record que nous ayons battu est celui d'endurance à la chicotte[8]…

Et ce pays cria pendant des siècles que nous sommes des bêtes brutes ; que les pulsations de l'humanité s'arrêtent aux portes de

---

[1]. Femmes guerrières et gardiennes.
[2]. Ancien royaume africain, située dans le sud-ouest de l'actuel Bénin.
[3]. Pays d'Afrique de l'Ouest.
[4]. Commune du Mali.
    Une des plus anciennes villes du Mali (en Afrique de l'Ouest).
[5]. Souverains musulmans.
[6]. Cacher.
[7]. Fouet, baguette.

15 la négrerie ; que nous sommes un fumier ambulant hideusement
prometteur de cannes[1] tendres et de coton soyeux et l'on nous
marquait au fer rouge et nous dormions dans nos excréments et
l'on nous vendait sur les places et l'aune[2] de drap anglais et la viande
salée d'Irlande coûtaient moins cher que nous, et ce pays était
20 calme, tranquille, disant que l'esprit de Dieu était dans ses actes.

Nous vomissure de négrier
Nous vénerie[3] des Calebars[4]
quoi ? Se boucher les oreilles ?
Nous, soûlés à crever de roulis, de risées, de brume humée[5] !
25 Pardon tourbillon partenaire !

J'entends de la cale monter les malédictions enchaînées,
les hoquettements des mourants, le bruit d'un qu'on jette à
la mer... les abois d'une femme en gésine[6]... des raclements
d'ongles cherchant des gorges... des ricanements de fouet...
30 des farfouillis de vermine[7] parmi des lassitudes...

Rien ne put nous insurger[8] jamais vers quelque noble aven-
ture désespérée.

---

1. Les cannes à sucre.
2. Unité de mesure.
3. Chasse.
4. Mot qui désigne ceux qui portent la culotte ou le caleçon, sans doute les Blancs.
5. Respirée.
6. En train d'accoucher.
7. Saletés.
8. Révolter.

Ainsi soit-il. Ainsi soit-il.
Je ne suis d'aucune nationalité prévue par les chancelleries[1]
Je défie le craniomètre[2]. Homo sum etc.
Et qu'ils servent et trahissent et meurent
Ainsi soit-il. Ainsi soit-il. C'était écrit dans la forme de leur
bassin.

. Ambassades.
. Objet qui sert à prendre les mesures du crâne.

Au carrefour des langues et des cultures

ROMAIN GARY (1914-1980)
La Promesse de l'aube, 1960.

Dans ce texte, Romain Gary, né en Lituanie, explique l'amour que sa mère voue à son fils et à la France, terre promise de la culture, mais aussi terre d'asile...

L'amour, l'adoration, je devrais dire, de ma mère, pour la France, a toujours été pour moi une source considérable d'étonnement. Qu'on me comprenne bien. J'ai toujours été moi-même un grand francophile[1]. Mais je n'y suis pour rien : j'ai été élevé ainsi. Essayez donc d'écouter, enfant, dans les forêts lituaniennes[2], les légendes françaises ; regardez un pays que vous ne connaissez pas dans les yeux de votre mère, apprenez-le dans son sourire et dans sa voix émerveillée ; écoutez, le soir, au coin du feu où chantent les bûches, alors que la neige, dehors, fait le silence autour de vous, écoutez la France qui vous est contée comme *Le Chat botté*[3] ; ouvrez de grands yeux devant chaque bergère et entendez des voix ; annoncez à vos

---

1. Personne qui aime la France et sa culture.
2. De Lituanie (pays balte).
3. Conte de Charles Perrault.

soldats de plomb que du haut de ces pyramides quarante siècles les contemplent ; coiffez-vous d'un bicorne[1] en papier et prenez

15 la Bastille, donnez la liberté au monde en abattant avec votre sabre de bois les chardons et les orties ; apprenez à lire dans les fables de La Fontaine – et essayez ensuite, à l'âge d'homme, de vous en débarrasser. Même un séjour prolongé en France ne vous y aidera pas.

20   Il va sans dire qu'un jour vint où cette image hautement théorique de la France vue de la forêt lituanienne, se heurta violemment à la réalité tumultueuse et contradictoire de mon pays : mais il était déjà trop tard, beaucoup trop tard : j'étais né.

Dans toute mon existence, je n'ai entendu que deux êtres

25 parler de la France avec le même accent : ma mère et le général de Gaulle. Ils étaient fort dissemblables, physiquement et autrement. Mais lorsque j'entendis l'appel du 18 juin, ce fut autant à la voix de la vieille dame qui vendait des chapeaux au 16 de la rue de la Grande-Pohulanka à Wilno, qu'à celle du

30 Général que je répondis sans hésiter.

Dès l'âge de huit ans, surtout lorsque les choses allaient mal – et elles allèrent mal, très rapidement – ma mère venait s'asseoir en face de moi, le visage fatigué, les yeux traqués[2], me regardait longuement, avec une admiration et une fierté sans

35 limites, puis se levait, prenait ma tête entre ses mains, comme pour mieux voir chaque détail de mon visage, et me disait :

---

1. Chapeau militaire à deux pointes.
2. Pleins de peur.

— Tu seras ambassadeur de France, c'est ta mère qui te le dit.

Tout de même, il y a une chose qui m'intrigue un peu. Pourquoi ne m'avait-elle pas fait Président de la République, pendant qu'elle y était ? Peut-être y avait-il, malgré tout, chez elle, plus de réserve, plus de retenue, que je ne lui en accordais. Peut-être considérait-elle, aussi, que dans l'univers d'Anna Karénine[1] et des officiers de la Garde[2], un Président de la République, ce n'était pas tout à fait du « beau monde », et qu'un ambassadeur en grand uniforme, ça faisait plus distingué.

J'allais parfois me cacher dans mon refuge de bûches parfumées, je songeais à tout ce que ma mère attendait de moi, et je me mettais à pleurer, longuement, silencieusement : je ne voyais pas du tout comment j'allais pouvoir me retourner.

Je revenais ensuite à la maison, le cœur gros, et j'apprenais encore une fable de La Fontaine : c'était tout ce que je pouvais faire pour elle.

---

[1] Héroïne du roman éponyme de Tolstoï, publié en 1877.
[2] La garde impériale russe.

AMADOU HAMPÂTÉ BÂ (1901-1991)
Amkoullel, l'enfant peul, 1991.

*Amkoullel fréquente l'école française et l'école coranique. Dans ce[t]
extrait, il rend hommage à une autre école, celle des sages maître[s]
griots.*

À l'école des maîtres de la Parole

Après le dîner, que nous l'ayons pris ensemble ou séparé-
ment, Daouda, mes camarades et moi nous rendions parfois [à]
la grande place de Kérétel où les jeunes gens et les jeunes fille[s]
5 de plusieurs quartiers de Bandiagara[1] se réunissaient le soir pou[r]
bavarder, chanter ou danser au clair de lune. Nous aimion[s]
danser avec les fillettes de la waaldé[2] dirigée par Maïram[a]
Jeïdani, et je commençais déjà à penser à « jumeler » notr[e]
waaldé avec la leur, comme la coutume le permettait, pour un[e]
10 sorte de mariage symbolique entre nos deux associations.

À la belle saison, on venait le soir à Kérétel pour regarde[r]
s'affronter les lutteurs, écouter chanter les griots[3] musicien[s]
entendre des contes, des épopées[4] et des poèmes. Si un jeun[e]
homme était en verve poétique[5], il venait chanter ses improvi[-]
15 sations. On les retenait de mémoire et, si elles étaient belles, dè[s]

---

1. Capitale de l'ancien Empire toucouleur, dans l'actuel Mali.
2. Association de jeunes.
3. Chanteurs et poètes.
4. Chants poétiques qui racontent les exploits d'un héros.
5. Inspiré.

le lendemain elles se répandaient à travers toute la ville. C'était là un aspect de cette grande école orale traditionnelle où l'éducation populaire se dispensait au fil des jours.

Le plus souvent, je restais après le dîner chez mon père Tidjani pour assister aux veillées. Pour les enfants, ces veillées étaient une véritable école vivante, car un maître conteur africain ne se limitait pas à narrer des contes, il était également capable d'enseigner sur de nombreuses autres matières, surtout lorsqu'il s'agissait de traditionalistes confirmés comme Koullel, son maître Modibo Koumba ou Danfo Siné de Bougouni. De tels hommes pouvaient aborder presque tous les champs de la connaissance d'alors, car un « connaisseur » n'était jamais un spécialiste au sens moderne du mot, c'était plutôt une sorte de généraliste. La connaissance n'était pas compartimentée. Le même vieillard (au sens africain du terme, c'est-à-dire *celui qui connaît*, même si tous ses cheveux ne sont pas blancs) pouvait avoir des connaissances approfondies aussi bien en religion ou en histoire qu'en sciences naturelles ou en sciences humaines de toutes sortes. C'était une connaissance plus ou moins globale selon la qualité de chacun, une sorte de vaste « science de la vie », la vie étant ici conçue comme une unité où tout est relié, interdépendant et interagissant, où matériel et spirituel ne sont jamais dissociés. L'enseignement, lui non plus, n'était jamais systématique, mais livré au gré des circonstances, selon les moments favorables ou l'attention de l'auditoire.

Le fait de n'avoir pas eu d'écriture n'a donc jamais privé l'Afrique d'avoir un passé, une histoire et une culture. Comme le

dira beaucoup plus tard mon maître Tierno Bokar : « *L'écriture est une chose et le savoir en est une autre. L'écriture est la photogra-*
45 *phie du savoir, mais elle n'est pas le savoir lui-même. Le savoir est une lumière qui est en l'homme. Il est l'héritage de tout ce que les ancêtres ont pu connaître et qu'ils nous ont transmis en germe, tout comme le baobab[1] est contenu en puissance dans sa graine.* »

Koullel faisait parfois venir à ces séances son maître Modibo
50 Koumba. Celui-ci, contemporain d'El Hadj Omar, nous apporta beaucoup de lumières sur les événements de cette époque, dont il avait été un acteur. C'est par eux deux que j'ai entendu pour la première fois certaines explications des grands contes initiatiques[2] peuls[3] que j'ai été amené à publier plus
55 tard, et qui, sous des dehors plaisants et récréatifs, recèlent des enseignements profonds. Des confrères de Koullel, eux aussi traditionalistes en de nombreux domaines, l'accompagnaient souvent. Quand l'un d'eux contait, un guitariste l'accompagnait en sourdine[4]. C'était souvent Ali Diêli Kouyaté, le griot
60 personnel de Tidjani ; mais d'autres griots chanteurs, musiciens ou généalogistes[5] venaient aussi animer ces veillées, où musique et poésie étaient toujours présentes.

À travers ce chaos[6] apparent, nous apprenions et retenions beaucoup de choses, sans peine et avec un grand plaisir, parce

---

1. Arbre emblématique de l'Afrique.
2. Qui ouvrent à des connaissances cachées.
3. Peuple présent dans une quinzaine de pays d'Afrique.
4. Discrètement.
5. Qui retracent une lignée, une famille.
6. Désordre.

que c'était éminemment vivant et distrayant. *Instruire en amusant* a toujours été un grand principe des maîtres maliens[1] de jadis. Plus que jamais, mon milieu familial était pour moi une grande école permanente, celle des maîtres de la Parole.

© Éditions Actes Sud.

Du Mali, en Afrique de l'Ouest.

AZOUZ BEGAG (né en 1957)
Le Gone[1] du Chaâba, 1986.

Azouz vit au Chaâba, un bidonville près de Lyon, et fréquente l'école publique, où il est excellent élève. Mais ses camarades l'accusent d'être un traître à sa culture et le rejettent.

J'allais voir Hacène qui jouait aux billes dans un coin de la cour lorsque Moussaoui s'est approché de moi, suivi de sa garde impériale. Ses yeux brillaient de haine.

    – Qu'est-ce que tu me veux encore ? ai-je dit.

5   – Viens, on va plus loin. Il faut que je te parle.

Nous nous éloignons de l'endroit où les maîtres et le directeur sont réunis. D'ailleurs, j'aperçois M. Grand au milieu d'eux en train de commenter ce qui vient de lui arriver.

    – Tu vois, me fait Moussaoui, nous on est des Arabes et
10 c'est pas un pédé de Français qui va nous faire la rachema[2] en reniflant nos chaussettes devant tout le monde.

    – Et alors ?

    – Et alors… et alors ? Toi, t'es le pire des fayots que j'aie jamais vus. Quand il t'a dit d'enlever tes chaussettes, qu'est-ce
15 que t'as dit ? Oui, m'sieur, tout de suite… comme une femme.

    – Et alors ?

    – Eh ben dis-nous pourquoi ?

---

1. Jeune enfant (argot lyonnais).
2. La honte.

– Eh ben c'est parce que c'est le maître ! Et pis d'abord je m'en fous parce que ma mère elle m'a donné des chaussettes toutes neuves ce matin…

Tandis que Moussaoui manifeste des signes d'exaspération, Nasser le supplée[1] :

– Nous, on est tous derniers, t'es d'accord ?

– Ouais.

– Et pourquoi qu'nous on est tous derniers ?

– Je sais pas, moi !

– Tu vois pas que le maître, c'est un raciste ? Il aime pas les Arabes, je te dis…

– Je sais pas !

– Ah, c'est vrai, il sait pas, reprend Moussaoui. C'est normal, c'est pas un Arabe.

Les autres acquiescent.

– Si ! Je suis un Arabe !

– Si t'en étais un, tu serais dernier de la classe comme nous ! fait Moussaoui.

Et Nasser reprend :

– Ouais, ouais, pourquoi que t'es pas dernier avec nous ? Il t'a mis deuxième, toi, avec les Français, c'est bien parce que t'es pas un Arabe mais un Gaouri[2] comme eux.

– Non, je suis un Arabe. Je travaille bien, c'est pour ça que j'ai un bon classement. Tout le monde peut être comme moi.

. Le remplace.
. Un occidental, un infidèle.

Un troisième larron[1] intervient avec une question rituelle :

– Eh ben dis pourquoi t'es toujours avec les Français pen-
45 dant la récré ? C'est pas vrai que tu marches jamais avec nous ?

Les autres inclinent la tête en signe d'approbation. Que dire ?

– Tu vois bien que t'as rien à dire ! C'est qu'on a raison.
C'est bien ça, t'es un Français. Ou plutôt, t'as une tête d'Arabe
comme nous, mais tu voudrais bien être un Français.

50   – Non. C'est pas vrai.

– Bon, allez, laissez-le tomber, fait Moussaoui. On parle pas
aux Gaouris, nous.

Et ils s'éloignèrent, me méprisant de la tête aux pieds,
comme s'ils avaient démasqué un espion.

55 J'ai beau essayer de faire le malin, me dire qu'ils sont jaloux de
moi, j'ai quand même l'impression que M. Grand m'a joué un
bien mauvais tour. J'ai terriblement honte des accusations que
m'ont portées mes compatriotes parce qu'elles étaient vraies. Je
joue toujours avec les Français pendant la récré. J'ai envie de leur
60 ressembler. J'obéis au doigt et à l'œil à M. Grand.

Les heures ont passé lentement. L'après-midi, le directeur est
venu dans notre classe chercher Moussaoui et nous ne l'avons
pas revu.

Le soir, à la sortie de l'école, lorsque j'ai retrouvé tous les
65 gones du Chaâba, je n'ai rien dit à personne. Nous sommes
rentrés tranquillement aux baraques, comme d'habitude.

© Éditions du Seuil, 1986, Fiction, 2005.

---

1. Voleur.

Après-texte

Pour comprendre

Lire

Amélie Nothomb, *Métaphysique des tubes* (p. 9-14)

1 À quelle personne le récit est-il d'abord mené ? Relevez le passage qui acte le changement de statut du narrateur. Expliquez ensuite ce paradoxe : « Ce fut alors que je naquis, à l'âge de deux ans et demi. » (p. 11, l. 48).

2 Expliquez le rôle que jouent la grand-mère et le chocolat blanc dans la métamorphose de la narratrice. Relevez les périphrases qui les désignent (p. 9 et 10). Que disent-elles du rapport de « Dieu » au monde ?

3 P. 11-14 : quel est le rapport entre l'acte de manger, le chocolat et la conscience de soi ?

George Perec, *W ou le Souvenir d'enfance* (p. 15-17)

4 Sur quelle affirmation le texte s'ouvre-t-il ? En quoi celle-ci est-elle « une sorte de défi » (p. 15, l. 14) ? Comment la syntaxe du premier paragraphe en rend-elle la « sécheresse objective » (p. 15, l. 6-7) ?

5 De quoi la non-mémoire et la non-histoire devaient-elles protéger le narrateur ? Nommez et expliquez cette figure de style : « l'Histoire avec sa grande hache. » (p. 15, l. 17).

6 À quel âge le narrateur se souvient-il de l'histoire de *W* ? En vous appuyant sur les indicateurs de temps du chapeau et du texte, déterminez les étapes de l'écriture de ce récit.

Amos Oz, *Une histoire d'amour et de ténèbres* (p. 18-21)

7 Établissez une correspondance entre l'« événement fondateur de la mémoire » d'A. Oz et celui du récit d'A. Nothomb. Quelle sensation l'objet fait-il naître ? Quel est le champ lexical qui la développe (p. 18-20) ?

8 P. 19 : relevez la phrase qui montre que l'auteur est en train de reconstruire son enfance. Quel temps est employé et quelle est sa valeur ?

9 P. 20-21 : dans le deuxième « tableau », quelles sont les causes du plaisir ressenti ? Commentez l'emploi du mot « tableau ».

10 Quel rôle la mère du narrateur joue-t-elle dans ce souvenir ? Par quel procédé le narrateur fait-il entendre la voix de cette dernière (l. 78-83) ?

Annie Ernaux, *La Place* (p. 22-25)

11 P. 22, l. 2-3, « Il n'osait plus me raconter des histoires de son enfance. Je ne lui parlais plus de mes études. » : par quelle figure de style la narratrice souligne-t-elle la séparation d'avec son père dans ces phrases ? À quoi associe-t-il les études ? À quelle classe sociale appartient-il ?

12 Relevez les oppositions entre la narratrice et son père, puis appuyez-vous sur ces observations pour expliquer l'éloignement entre les deux personnages. Quelle interrogation celui-ci fait-il naître chez elle (p. 24) ?

13 P. 25 : quelle est la fonction de l'écriture pour Annie Ernaux ?

Ensemble des textes

14 Montrez que, dans chacun des récits, l'enfant est représenté comme un être étranger au monde des adultes.

15 Qu'est-ce que ces auteurs disent du projet de reconstruction de l'enfance par l'écriture ? Quelle est, selon vous, la part de fiction dans chacun de ces récits ?

Écrire

16 Racontez une expérience de votre enfance que vous avez partagée avec une personne de votre entourage proche. Vous alternerez le point de vue de l'enfant que vous étiez à l'époque et celui de l'adolescent que vous êtes aujourd'hui.

17 Pourquoi peut-on avoir le désir de raconter son enfance ? Répondez à l'aide d'arguments et d'exemples, en appuyant votre démonstration sur des citations des textes de cette étape.

Chercher

18 À quel âge la conscience de soi se manifeste-t-elle ? À quand les premiers souvenirs d'enfance remontent-ils ?

19 À quel poète doit-on l'affirmation « Je est un autre » ?

Oral

20 Vous est-il arrivé d'inventer des épisodes de votre enfance ou de les modifier pour les rapporter à quelqu'un ? Racontez un de ces épisodes à vos camarades, en leur expliquant la raison de cette invention.

21 Existe-t-il des choses de l'enfance ou de l'adolescence qu'on n'a pas envie de raconter et qui doivent rester dans le « jardin secret » de chacun ? Organisez un débat autour de cette question.

À SAVOIR

ÉCRIRE L'ENFANCE

Le processus de reconstruction de l'enfance par la mémoire pose des questions fondatrices à l'auteur :

– Jusqu'où la mémoire peut-elle remonter ? Dans quelle mesure la fiction peut-elle combler les lacunes du souvenir ? (Amélie Nothomb, Amos Oz)

– Toutes les expériences peuvent-elles être racontées ? Dire le plus intime impose-t-il des limites ? (Amos Oz, Annie Ernaux)

– Pour quelle(s) raison(s) le narrateur-adulte choisit-il de revenir sur ses souvenirs ? (Georges Perec)

– Comment les acteurs de cette enfance vont-ils accueillir le récit ? (Annie Ernaux)

Lire

Amélie Nothomb, *Stupeur et Tremblements* (p. 27-29)

1 Quels sont les mots du premier paragraphe qui peuvent laisser entendre que la narratrice a accepté son exclusion ? En page 28, quelle phrase contredit cette hypothèse ?

2 P. 28, l. 26-30 : quelle figure de style trouve-t-on dans ce paragraphe ? Comment la narratrice « prend-elle son envol » et met-elle un terme à son expérience ? Donnez la valeur des verbes au passé simple des lignes 31 à 34.

3 De quoi la succession des dates donne-t-elle la mesure ? Comment Amélie souligne-t-elle la fonction libératrice de l'écriture ?

Marguerite Duras, *L'Amant* (p. 30-31)

4 P. 30 : quels sont les procédés utilisés pour souligner la détermination de la narratrice ?

5 P. 30-31 : qui s'oppose au projet de la jeune fille et pourquoi ? Justifiez votre réponse à l'aide de citations. Donnez ensuite la valeur du pronom démonstratif « celle-ci » (l. 19).

6 P. 31 : relevez le couple d'antonymes qu'utilise la narratrice pour décrire sa famille.
Que revendique-t-elle à travers la volonté d'écrire ?

Roald Dahl, *Moi, Boy* (p. 32-35)

7 P. 32, l. 1-6 : quels sont les sentiments du narrateur ? Par quel procédé prend-il le lecteur à témoin ?

8 P. 32-33 : quel est le champ lexical dominant dans ce passage ?

9 P. 33, l. 23-43 : quels procédés le narrateur utilise-t-il pour dramatiser la scène des châtiments corporels ? Qu'est-ce qui rend le comportement du principal particulièrement odieux ?

10 De quoi l'adolescent prend-il conscience à travers la figure du clergyman ? En quoi est-il « désarçonné » (p. 34-35, l. 57-67) ?

Joseph Joffo, *Un sac de billes* (p. 36-39)

11 P. 36 : relevez la typographie et les formes verbales qui expriment l'injonction du père. Précisez le mode et le temps des verbes utilisés.

12 P. 37, l. 35-36 : « C'est la chasse qui est réouverte ». À quelle expérience récurrente de l'histoire du peuple juif le père fait-il référence ? De quoi la séparation doit-elle protéger les deux enfants ?

13 Comment la mère participe-t-elle à l'organisation du départ des enfants ? Quelle phrase montre que le narrateur n'est pas dupe du « jeu » de son père ?

14 P. 39, l. 71, « C'en était fait de l'enfance. » : comment nomme-t-on ce type de conclusion ?

Ensemble des textes

15 En quoi les épisodes racontés dans ces extraits marquent-ils une rupture radicale et définitive dans la vie des personnages ?

16 Quels sont les sentiments qui accompagnent l'émancipation de chaque personnage ? Quels sont les textes dans lesquels la fonction de l'écriture est explicite ? Dans lesquels d'entre eux est-elle implicite ?

Écrire

17 Imaginez un dialogue entre Marguerite Duras et sa mère, dans lequel Marguerite essaierait de la convaincre de la laisser poursuivre son projet d'écriture.

18 P. 38-39, l. 64-67, Joseph Joffo écrit : « J'ai su, plus tard, lorsque tout fut fini, que mon père était resté debout, se balançant doucement les yeux fermés. ». Récrivez la scène du départ des frères, en vous plaçant du point de vue de la mère du narrateur.

Chercher

19 Dans *Stupeur et Tremblements*, Amélie Nothomb raconte comment elle a voulu réaliser son désir d'être une vraie Japonaise. Dans quel roman évoque-t-elle son enfance au Japon ?

20 Quels sont les autres romans dans lesquels Marguerite Duras évoque sa vie familiale ? Dans quel pays a-t-elle vécu durant son enfance et son adolescence ?

Oral

21 Pour quel lectorat Roald Dahl écrit-il principalement ? Selon vous, y a-t-il un lien entre ce choix et ce qu'a vécu l'auteur dans son enfance ?

À SAVOIR

L'EXPLICITE ET L'IMPLICITE

Un discours est **explicite** quand le locuteur **énonce clairement** ce qu'il pense et ressent (p. 28, l. 33-34, « Quand j'eus contenté ma soif de défenestration, je quittai l'immeuble Yumimoto. »). À l'inverse, un discours est **implicite** quand le locuteur **n'exprime pas clairement** ce qu'il pense et laisse au lecteur le soin de le comprendre par lui-même (p. 27, l. 7-10, « Vers dix-huit heures, après m'être lavé les mains, j'allais serrer celles de quelques individus qui, à des titres divers m'avaient laissé entendre qu'ils me considéraient comme un être humain. La main de Fubuki ne fut pas du lot. »). L'ironie joue par exemple sur l'implicite : le destinataire est invité à **lire entre les lignes** pour comprendre que le locuteur pense le contraire de ce qu'il dit : p. 67, l. 37-38, « Ainsi soit-il. Ainsi soit-il. C'était écrit dans la forme de leur bassin. ».

Lire

Michel Leiris, L'Âge d'homme (p. 41-43)

1 Identifiez les deux parties du texte : celle qui donne le point de vue de l'enfant et celle qui donne le point de vue de l'adulte. Nommez les différents types de discours utilisés.

2 P. 42, l. 16 : que connote la figure de l'ogre ? Quelle est la manifestation principale du « choc » (l. 25-35) ?

3 P. 42-43, l. 36-49 : quels sont les deux champs lexicaux dominants ? Établissez le lien entre ce qu'a ressenti le narrateur lors de son agression et sa « représentation de la vie » à l'âge adulte.

4 P. 43, l. 48 : Michel Leiris emploie le mot « abattoir ». Quels mots préparent cette métaphore ?

Anne Frank, Le Journal d'Anne Franck (p. 44-47)

5 P. 44-46 : montrez que, pour Anne, la découverte du sentiment amoureux passe par la découverte du corps.

6 P. 44 : relevez la phrase qui montre que la narratrice a conscience de la dualité de son caractère.

7 Quelle question, liée au sexe de la jeune fille, est soulevée par cette expérience ? Qu'affirme-t-elle à travers la réponse donnée ?

8 En vous appuyant sur le type des phrases qu'elle emploie, montrez qu'Anne est engagée dans un dialogue avec elle-même. De quoi a-t-elle peur ?

Marjane Satrapi, Persepolis (p. 48-49)

9 Dans la première image, montrez l'antinomie entre les points de vue portés sur l'oncle.

10 Quel angle la dessinatrice utilise-t-elle pour se représenter petite fille ? Quel est l'effet créé ?

11 Par quels procédés l'auteure exprime-t-elle la violence de son rejet ? Qui rejette-t-elle ?

12 Qu'est-ce que le dernier cartouche rajoute au caractère dramatique de la situation ?

Philippe Grimbert, Un secret (p. 50-51)

13 À qui le narrateur révèle-t-il le secret familial ? Quels sont les deux déclencheurs de cette révélation ? Relevez les trois phrases qui montrent le caractère inconscient de la levée du secret.

14 P. 51, l. 17-31 : en vous appuyant sur les verbes de parole, montrez comment la parole du narrateur se libère. Quel secret dévoile-t-il ?

15 Quelle figure de style reconnaissez-vous dans la dernière phrase ? Quel connecteur logique pourriez-vous substituer aux deux points ?

Fred Uhlman, L'Ami retrouvé (p. 52-54)

16 P. 52 : quelle affirmation souligne le caractère radical des conséquences de l'accident ? Quel temps souligne le passage du passé au présent de narration (l. 10-22) ?

17 P. 53 : qui la périphrase désigne-t-elle (l. 26-27) ? Quel est le rôle de Conrad dans la prise de conscience de Hans ? Que rejette-t-il et par quels arguments Hans lui répond-il ?

18 Quel mot du registre familier et quelle figure de style renforcent la violence de la réaction de Hans ?

Ensemble des textes

19 Écrivez une synthèse montrant à quelle connaissance d'eux-mêmes les personnages sont parvenus.

20 Quel point commun les textes de Leiris, Satrapi et Uhlman présentent-ils ?

Écrire

21 Avez-vous déjà vécu une situation qui vous a révolté ? Racontez-en les circonstances et analysez les changements qu'elle a suscités en vous.

22 Vous retrouvez-vous dans un ou plusieurs personnages de cette étape ? Vous répondrez par un développement argumenté, illustré d'exemples tirés des textes.

Chercher

23 Il existe deux versions du journal d'Anne Frank : la première a été publiée en 1947 et la seconde en 1986. Quelle est la différence entre ces deux versions ?

24 Quelle est aujourd'hui encore l'activité principale de Philippe Grimbert ? Quel lien pouvez-vous établir entre son métier et le sujet abordé dans son roman ?

25 Comment la bande dessinée de Marjane Satrapi a-t-elle trouvé un autre public que celui de ses lecteurs ?

À SAVOIR

LES DIFFÉRENTES FORMES DE L'ÉCRITURE DE SOI

Selon **le projet de l'auteur** et son rapport à l'écriture, son récit prend une forme plus ou moins autobiographique ou fictionnelle.

– **L'autobiographie** est fondée sur un **contrat d'authenticité**, explicite ou implicite, auquel l'auteur s'engage. *Le Journal d'Anne Frank* (p. 44-47), le témoignage de Robert Antelme dans *L'Espèce humaine* (p. 61-64) ou le projet de Michel Leiris (p. 41-43) en sont des exemples.

– **L'écriture de soi** peut aussi se présenter comme un **récit plus ou moins romancé**, dans lequel l'auteur recrée ou transpose ses souvenirs. Amélie Nothomb, par exemple, choisit ce qui fait sens pour son récit et peut avoir recours à l'imagination pour le développer.

– Le récit peut enfin n'être qu'**en partie autobiographique**. Dans *L'Ami retrouvé*, de Fred Uhlman, le narrateur porte un nom différent de celui de l'auteur et le roman comporte plusieurs **éléments fictifs**.

Lire

Simone de Beauvoir, La Force de l'âge (p. 55-56)

1 Reformulez, en la résumant, la thèse que l'auteur développe à propos de la fête. Appuyez votre réponse sur l'opposition des deux champs lexicaux utilisés (p. 55). Quel est l'effet de cette fête sur le présent ? Analysez la métaphore « pépites de joie » (p. 56, l. 16).

2 P. 56 : qui est représenté par le pronom « nous » ? Quel sentiment « ces nuits » de fête entretiennent-elles ? Comment comprenez-vous l'image « Nous habitions une arche. » (l. 25-26) ?

3 P. 56, l 28-29 : quelle période de l'histoire Simone de Beauvoir évoque-t-elle ? En quoi son point de vue est-il original ?

Daniel Pennac, Chagrin d'école (p. 57-60)

4 Comment l'auteur définit-il la situation de « cancre » ? Que lisez-vous dans les ellipses des lignes 8-11 et 53-54 ?

5 Quel est le rôle du frère dans ce dialogue ? Quelles difficultés fait-il remonter à la mémoire du narrateur ?

6 P. 58-59 : quelles sont les illustrations de ces difficultés ?

7 Analysez la cause de cette souffrance scolaire. Que révèle la précision des souvenirs du narrateur ? Par quelle figure de style cette précision est-elle rendue (p. 58) ?

Robert Antelme, L'Espèce humaine (p. 61-64)

8 Quel constat le narrateur fait-il et pourquoi ? À quelle espèce ces hommes sont-ils associés (l. 5-8) ? Quel est le pouvoir du langage ?

9 P. 62 : relevez les détails qui montrent les conditions de vie des hommes de ce block. En quoi l'emploi récurrent du mot « copain » les adoucit-il ?

10 Quel type de spectacle est annoncé par le mot « tréteau » (l. 20) ? Quel est le premier effet de ce spectacle et sa finalité (l. 48-56) ? Appuyez votre réponse sur les verbes utilisés.

11 P. 63-64 : comment la poésie crée-t-elle du « lien » ? Quelles valeurs l'accompagnent ? Quel mot remplace le nom « copain » ?

12 En quoi cette scène illustre-t-elle le titre du roman ?

Aimé Césaire, Cahier d'un retour au pays natal (p. 65-67)

13 P. 65, l. 1-12 : quel passé de l'Afrique Aimé Césaire évoque-t-il ? Quand il dit « nous », de qui parle-t-il ? Sur quel ton ?

14 Qui désigne-t-il à travers l'expression « ce pays » (l. 13) ? par le pronom indéfini « on » (l. 16) ? Relevez des passages au discours indirect libre dans lesquels ce « on » s'exprime.

15 P. 66 : quelle réalité l'auteur dénonce-t-il ? Quel rôle endosse-t-il quand il dit « j'entends » (l. 26) ?

16 Quel constat le narrateur fait-il en voyant la réaction de ses frères face aux négriers ?

Ensemble des textes

17 De quoi, précisément, chaque texte porte-t-il témoignage ? Quelles valeurs et quels espoirs communiquent-ils ?

Écrire

18 Quelles réalités mettez-vous sous le mot « fête » ? Quels sens lui donnez-vous ?

19 Imaginez une interview – fictive bien sûr – de Daniel Pennac. Effectuez une recherche sur cet auteur, puis écrivez les questions que vous pourriez lui poser sur son parcours, et ses réponses.

Chercher

20 Quelles fêtes ont animé le Paris de la Libération et des années qui la suivirent ? De quel mouvement littéraire Jean-Paul Sartre et Simone de Beauvoir ont-ils été les animateurs ?

21 À quel épisode biblique le motif de « l'arche » renvoie-t-il ?

22 Quel autre témoignage majeur sur les camps de concentration nazis a été écrit par un auteur italien ?

23 Dans quel roman de Ray Bradbury trouve-t-on des personnages d'« hommes-livres » ? Quel réalisateur a-t-il adapté ce roman pour le cinéma ?

24 Qu'est-ce que le mouvement de la « négritude » ?

Pour comprendre

À SAVOIR

L'ÉCRITURE DE SOI ET SON RAPPORT À L'HISTOIRE

Parmi les différents genres autobiographiques, on trouve celui des **Mémoires**, qui mêle l'**histoire individuelle** du narrateur et la « **grande histoire** ». L'auteur évoque des événements dont il a été témoin ou acteur (ex : le général de Gaulle dans ses *Mémoires de guerre*). On trouve ce **rapport au monde et à l'histoire**, plus ou moins explicite, dans d'autres genres de l'écriture de soi et chez d'autres auteurs, tels que :
– Simone de Beauvoir, par son récit de la vie pendant la Seconde Guerre mondiale ;
– Robert Antelme, par son témoignage sur l'expérience de déshumanisation du système concentrationnaire nazi ;
– Daniel Pennac, par l'image qu'il donne du système scolaire des années soixante et de la place qu'y occupait l'élève ;
– Aimé Césaire, par son témoignage sur l'injustice coloniale à laquelle son pays est soumis.

Pour comprendre

Lire

Romain Gary, _La Promesse de l'aube_ (p. 69-71)

1 P. 69, l. 5-12 : appuyez-vous sur les verbes utilisés pour expliquer comment la mère du narrateur lui transmet son amour de la France. À quel genre littéraire emprunte-t-elle son récit ?

2 P. 69-70, l. 12-17 : quelle représentation de la France l'auteur donne-t-il ? En quoi est-elle « hautement théorique » (l. 20-21) ? Expliquez la phrase « [...] mais il était déjà trop tard, beaucoup trop tard : j'étais né. » Élargissez votre réponse en vous appuyant sur l'association entre la mère et le général de Gaulle.

3 Comment la culture de la mère l'amène-t-elle à souhaiter que son fils soit ambassadeur et non président de la République ? Quels sentiments les ambitions maternelles suscitent-elles chez l'enfant ?

Amadou Hampâté Bâ, _Amkoullel, l'enfant peul_ (p. 72-75)

4 Montrez que, pour ces jeunes, la poésie fait partie du quotidien. Dans quels lieux se fait-elle ? Quel est son support ?

5 P. 73, l. 20-40 : reformulez ce qu'est pour l'auteur une « école vivante ». Relevez la phrase qui montre que l'enseignement est à l'image de la conception de la vie dans cette culture.

6 P. 73-74, l. 41-48 : sur quelle caractéristique de la culture africaine l'auteur insiste-t-il ? Que dit son maître sur la différence entre savoir et écriture ? À qui, selon vous, l'auteur et son maître Tierno Bokar s'adressent-ils ?

7 Pour les maîtres maliens, de quoi l'enseignement est-il indissociable ? Pourquoi le mot « parole » porte-t-il une majuscule ?

Azouz Begag, _Le Gone du Chaâba_ (p. 76-78)

8 Quels sont les personnages qui mènent le dialogue dans cette scène ? Sur quel ton ?

9 P. 76-77, l. 12-20 : par quel procédé l'incompréhension du petit Azouz est-elle signifiée au lecteur ?

10 P. 77-78 : de quoi Azouz est-il accusé par ses « compatriotes » ? Quels arguments utilise-t-il pour se défendre ?

11 P. 78 : quel est l'effet du discours de Moussaoui sur Azouz ?

Ensemble des textes

12 Quelles sont les différentes cultures abordées dans ces trois ouvrages ?

13 Comment mettent-elles les auteurs au carrefour de leurs origines et de la culture française ?

Écrire

14 L'œuvre de ces auteurs montre que le métissage culturel produit des voix et des destins remarquables. Comment expliqueriez-vous ce phénomène ?

15 Vous arrivez dans une nouvelle école et c'est la rentrée. Évoquez cette journée en exprimant très précisément vos pensées et vos sentiments.

Chercher

16 Par quelle activité Amadou Hampâté Bâ a-t-il continué le travail de transmission de sa culture ?

Oral

17 P. 77, l. 37 : « […] pourquoi que t'es pas dernier avec nous ? » Que pensez-vous de cette question, posée par Moussaoui, et de la réponse d'Azouz ? Qu'essaie-t-il de faire comprendre à Moussaoui ?

À SAVOIR

DE LA LANGUE MATERNELLE À LA LANGUE FRANÇAISE

Les auteurs de cette étape ont tous pour **langue maternelle** une **langue autre que le français**, qu'ils ont pourtant choisi pour écrire leurs textes. Romain Gary est né en Lituanie, est allé à l'école en Pologne et a fait ses études en France après que sa mère et lui-même y eurent obtenu un visa en 1928. Le français est pour lui plus qu'une langue d'adoption. C'est sa **seconde langue maternelle**, celle qu'il a entendue petit et **qui l'a rendu « francophile »** (p. 69, l. 4). C'est d'ailleurs en français qu'il a écrit *Les Racines du ciel*, le livre qui l'a fait connaître en 1956.

Le choix du français a été plus complexe pour Amadou Hampâté Bâ, élevé dans l'Afrique coloniale. **C'est par nécessité qu'il « adopte » la langue française**, puisqu'il lui est interdit de parler sa langue maternelle à l'école. En 1942, il est affecté à l'Institut français d'Afrique noire. Son travail d'ethnologue l'amène à recueillir les traditions orales de son continent, qu'il évoque dans *Amkoullel, l'enfant peul*. À l'Unesco, dont il est membre du Conseil exécutif, il lance un appel pour sauver la culture orale africaine, car « en Afrique, quand un vieillard meurt, c'est une bibliothèque qui brûle ».

Quant à Azouz Begag, qui grandit à Villeurbane, dans la banlieue de Lyon, il est au carrefour de trois langues : l'arabe dialectal d'Algérie (sa langue maternelle), le dialecte lyonnais et le français qu'il apprend à l'école. Le titre de son récit d'enfance, *Le Gone du Chaâba*, est le reflet du **mélange de ces trois cultures**.

INTERVIEW EXCLUSIVE

Pour la collection « Classiques & Contemporains », Amélie Nothomb a accepté de répondre aux questions de Josiane Grinfas, professeur de Lettres et auteur du présent appareil pédagogique.

Josiane Grinfas : Quelles écritures de soi et autoportraits ont marqué votre expérience de lectrice ?

Amélie Nothomb : *Les Mots* de Sartre, *Mémoires d'une jeune fille rangée* de Simone de Beauvoir, *La Promesse de l'aube* de Romain Gary, *Le Bonheur des tristes* de Luc Dietrich, *Bandini* de John Fante.

J. G. : En quoi l'écriture de soi peut-elle toucher les adolescents d'aujourd'hui ?

A. N. : Les adolescents d'aujourd'hui souffrent d'un déficit de réalité. L'Internet, vu comme une passerelle vers le réel, conduit bien davantage à la déréalisation. L'écriture de soi reconnecte les adolescents avec ce que l'écriture peut avoir de plus réel.

J. G. : La fiction peut-elle nourrir l'écriture de soi ? Accordez-vous de l'importance au « pacte d'authenticité » entre écrivain et lecteur ?

A. N. : La fiction fait partie de la vie de chacun. J'accorde une importance cruciale au pacte d'authenticité entre écrivain et lecteur et l'autobiographie la plus authentique est précisément celle qui incorpore la fiction inhérente au simple fait d'être en vie.

J. G. : Quelles parts de vous-même avez-vous découvertes en écrivant vos récits ?

A. N. : J'ai découvert que j'existais. Découverte immense mais précaire. Je dois le redécouvrir chaque jour.

1) *Les mots* de Sartre, *Mémoires d'une jeune fille rangée* de Simone de Beauvoir, *La promesse de l'aube* de Romain Gary, *Le bonheur des tristes* de Luc Dietrich, *Bandini* de John Fante.

2) Les adolescents d'aujourd'hui souffrent d'un déficit de réalité. L'Internet, vue comme une passerelle vers le réel, le conduit bien davantage à la déréalisation. L'écriture de soi reconnecte les adolescents avec ce que l'écriture peut avoir de plus réel.

3) La fiction fait partie de la vie de chacun. J'accorde une importance cruciale au pacte d'authenticité entre écrivain et lecteur et l'autobiographique le plus authentique est précisément celle qui incorpore la fiction inhérente au simple fait d'être en vie.

4) J'ai découvert que j'existais. Découverte immense mais précaire. Je dois le redécouvrir chaque jour.

Amélie Nothomb
Paris, le 16/1/2017.

BIBLIOGRAPHIE

• Autres récits d'enfance
- Jules Vallès, *L'Enfant*, 1879.
- Colette, *Claudine à l'école*, 1900.
- Colette, *Sido* suivi de *Les Vrilles de la vigne,* 1929.
- Amélie Nohomb, *Le Sabotage amoureux*, Albin Michel, 1993.
- Nathalie Sarraute, *Enfance*, Gallimard, 1983.
- Éric-Emmanuel Schmitt, *Monsieur Ibrahim et les fleurs du Coran*, Albin Michel, 2001.
- Jean-Paul Sartre, *Les Mots*, Gallimard, 1964.
- Collectif, *Enfances, adolescences, 5 nouvelles inédites*, « Littérature », Librio, 2015.

• Autres récits d'émancipation
- Richard Wright, *Black Boy*, « Folio », Gallimard, 1947.
- J.D. Salinger, *L'Attrape-cœur*, Robert Laffont, 1953.

• Autres récits sur la connaissance de soi
- Claire Bretécher, *Agrippine*, Dargaud, 1988-2009.
- Carlos Ruiz Zafón, *L'Ombre du vent,* Grasset, 2004.
- Carlos Ruiz Zafón, *Marina*, Robert Laffont, 2011.

• Autres témoignages
- Art Spiegelman, *Maus*, « Mon père saigne l'histoire », Flammarion, 1987.
- Art Spiegelman, *Maus*, « Et c'est là que mes ennuis ont commencé », Flammarion, 1992.
- Christine Arnothy, *J'ai quinze ans et je ne veux pas mourir*, suivi de *Il n'est pas si facile de vivre* [1955], Le Livre de Poche, 1971.

FILMOGRAPHIE

- *Les Quatre Cents Coups,* de François Truffaut, 1959.

Classiques & Contemporains

Lowery, *La Cicatrice*
Maran, *Batouala*
Marivaux, *La Colonie* suivi de *L'Île des esclaves*
Maupassant, *Les Dimanches d'un bourgeois de Paris*
Mérimée, *Tamango*
Molière, *Dom Juan*
Molière, *George Dandin*
Molière, *Le Sicilien ou l'Amour peintre*
Murakami, *L'Éléphant s'évapore* suivi du *Nain qui danse*
Musset, *Lorenzaccio*
Némirovsky, *Jézabel*
Nothomb, *Acide sulfurique*
Nothomb, *Barbe bleue*
Nothomb, *Les Combustibles*
Nothomb, *Métaphysique des tubes*
Nothomb, *Le Sabotage amoureux*
Nothomb, *Stupeur et Tremblements*
Pergaud, *La Guerre des boutons*
Perrault, Mme d'Aulnoy, etc., *Contes merveilleux*
Petan, *Le Procès du loup*
Poe, Gautier, Maupassant, Gogol, *Nouvelles fantastiques*
Pons, *Délicieuses frayeurs*
Pouchkine, *La Dame de pique*
Reboux et Muller, *À la manière de...*
Renard, *Huit jours à la campagne*
Renard, *Poil de Carotte* (comédie en un acte), suivi de *La Bigote* (comédie en deux actes)
Reza, « *Art* »
Reza, *Le Dieu du carnage*
Reza, *Trois versions de la vie*
Ribes, *Trois pièces facétieuses*
Riel, *La Vierge froide et autres racontars*
Rouquette, *Médée*
Sand, *Marianne*
Schmitt, *Crime parfait et Les Mauvaises Lectures – Deux nouvelles à chute*
Schmitt, *L'Enfant de Noé*
Schmitt, *Hôtel des deux mondes*
Schmitt, *Le Joueur d'échecs*
Schmitt, *Milarepa*
Schmitt, *Monsieur Ibrahim et les fleurs du Coran*
Schmitt, *La Nuit de Valognes*
Schmitt, *Oscar et la dame rose*
Schmitt, *Ulysse from Bagdad*
Schmitt, *Vingt-quatre heures de la vie d'une femme*
Schmitt, *Le Visiteur*
Sévigné, Diderot, Voltaire, Sand, *Lettres choisies*
Signol, *La Grande Île*

Stendhal, *Vanina Vanini*
Stevenson, *Le Cas étrange du Dr Jekyll et de M. Hyde*
t'Serstevens, *Taïa*
Uhlman, *La Lettre de Conrad*
van Cauwelaert, *Cheyenne*
Vargas, *Debout les morts*
Vargas, *L'Homme à l'envers*
Vargas, *L'Homme aux cercles bleus*
Vargas, *Pars vite et reviens tard*
Vercel, *Capitaine Conan*
Vercors, *Le Silence de la mer*
Vercors, *Zoo ou l'assassin philanthrope*
Verne, *Sans dessus dessous*
Voltaire, *L'Ingénu*
Wells, *La Machine à explorer le temps*
Werth, *33 Jours*
Wilde, *Le Crime de Lord Arthur Savile*
Zola, *Thérèse Raquin*
Zweig, *Le Joueur d'échecs*
Zweig, *Lettre d'une inconnue*
Zweig, *Vingt-quatre heures de la vie d'une femme*

Recueils et anonymes
90 poèmes classiques et contemporains
Ceci n'est pas un conte et autres contes excentriques du XVIIIᵉ siècle
Ces objets qui nous envahissent : objets cultes, culte des objets (anthologie BTS)
Cette part de rêve que chacun porte en soi (anthologie BTS)
Contes populaires de Palestine
Histoires vraies – Le Fait divers dans la presse du XVIᵉ au XXIᵉ siècle
Initiation à la poésie du Moyen Âge à nos jours
Je me souviens (anthologie BTS)
La Dernière Lettre – Paroles de Résistants fusillés en France (1941–1944)
La Farce de Maître Pierre Pathelin
Poèmes engagés
La Presse dans tous ses états – Lire les journaux du XVIIᵉ au XXIᵉ siècle
La Résistance en poésie – Des poèmes pour résister
La Résistance en prose – Des mots pour résister
Les Aventures extraordinaires d'Adèle Blanc-Sec
Les Grands Textes du Moyen Âge et du XVIᵉ siècle
Les Grands Textes fondateurs
Nouvelles francophones
Pourquoi aller vers l'inconnu ? – 16 récits d'aventures
Sorcières, génies et autres monstres – 8 contes merveilleux

Couverture
Conception graphique : Marie-Astrid Bailly-Maître et Yannick Le Bourg
Illustration : Laurence Bentz
Photographie d'Amélie Nothomb : © Olivier Dion

Intérieur
Conception graphique : Marie-Astrid Bailly-Maître et Muriel Ouziane
Édition : Marie Gendrier
Réalisation : Nord Compo, Villeneuve-d'Ascq
Photographie d'Amélie Nothomb : © Olivier Dion

© **Éditions Magnard, 2017, pour la présentation, les notes, les questions, l'après-texte et l'interview exclusive.**

www.magnard.fr
www.classiquesetcontemporains.com

Achevé d'imprimer en juin 2017
par «La Tipografica Varese Srl» Varese - Italie
N° éditeur : 2016-1419
Dépôt légal : juin 2017